D0854792

PERDU DANS LA SAVANE

BIOGRAPHIE

Petite fille, Lucy Daniels aimait beaucoup lire, et rêvait d'être écrivain. Aujourd'hui, elle vit à Londres avec sa famille et ses deux chats, Peter et Benjamin. Originaire de la région du Yorkshire, elle a toujours aimé la nature et les animaux, et s'échappe à la campagne dès qu'elle le peut.

Ce livre est déjà paru dans la collection Folio Cadet, n° 360, sous le titre *Le lionceau abandonné*.

ILLUSTRATIONS INTÉRIEURES: PHILIPPE MIGNON
ADAPTATION: SOPHIE BEAUDE

L'auteur remercie Jenny Oldfield et C. J. Hall, médecins vétérinaires, qui ont revu les informations contenues dans ce livre.
Conception de la collection : Ben M. Baglio
Titre original :
Lion by the Lake
© 1997, Working Partner Ltd
Publié pour la première fois par Hodder Children's Books, Londres
© 2002, Bayard Éditions Jeunesse pour la traduction française et les illustrations
Loi n°49-956 du 16 juillet 1949 sur les publications destinées à la jeunesse
Dépôt légal : novembre 2002
ISBN : 2 747 003 72 8

PERDU DANS LA SAVANE

LUCY DANIELS
TRADUIT DE L'ANGLAIS
PAR ANITA VAN BELLE

BAYARD JEUNESSE

LES HÉROS
DE CETTE HISTOIRE

Cathy Hope a douze ans, et une passion : les animaux. Son ambition est de devenir vétérinaire, comme ses parents. La souffrance des animaux lui est insupportable et elle ne manque jamais une occasion de leur porter secours.

Adam et **Emily Hope** sont les parents de Cathy. Ils dirigent une clinique vétérinaire, l'Arche des animaux, où Cathy passe tout son temps libre.

James Hunter est le meilleur ami de Cathy. Il partage avec elle l'amour des animaux et la suit dans toutes ses aventures.

Tom et **Dorothy Hope** sont les grands-parents de Cathy. Ils vivent au cottage des Lilas, et sont toujours prêts à venir en aide à leur petite-fille.

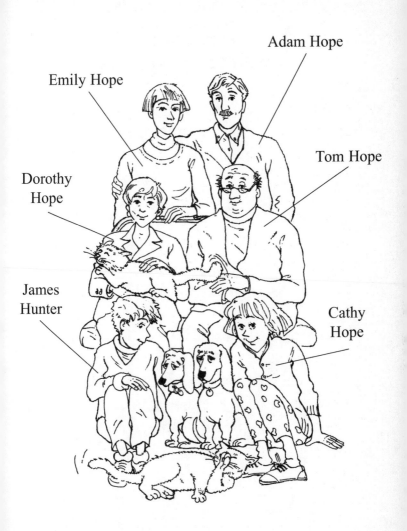

Adam Hope

Emily Hope

Dorothy Hope

Tom Hope

James Hunter

Cathy Hope

1

– Là, près de l'eau ! chuchota James en désignant la rive.

Cathy avait du mal à y croire : c'était son premier jour de vacances en Afrique, et James affirmait que l'animal qu'elle souhaitait voir le plus au monde, le lion, était là, devant eux !

Cathy scruta les hautes herbes qui poussaient sur la rive du lac Kasanka :

– Où ça ?

– Là, à l'ombre de ce grand rocher rouge. Chut, il se redresse ! Il nous a repérés !

La jeune fille entendit un bruissement dans l'herbe jaune et sèche : quelque chose y bougeait. Mais elle ne voyait rien. Peut-être que James s'était trompé… Elle se mit sur la marche de la jeep et se haussa sur la pointe des pieds.

Le rocher était protégé des rayons du soleil par les branches d'un épineux, qui se déployaient en éventail à son sommet. Derrière l'arbre, sur des kilomètres, étince-laient les eaux bleues du lac ; sur la rive opposée se dressaient les montagnes aux sommets embrumés. En effet, Cathy et James passaient leurs vacances dans… le cratère d'un volcan éteint de longue date !

Cathy plissa les yeux :

– Je ne le vois pas !

Joseph, leur chauffeur, regardait à travers le pare-brise. Ses sens aigus captaient chaque mouvement, chaque bruit dans la brousse.

– Il est parti ! lança James, déçu.

Joseph secoua la tête.

– C'est un petit, précisa-t-il de sa voix profonde. Il est seul.

Un lionceau séparé de sa famille? Cathy explorait du regard l'étendue herbeuse parcourue par des ombres mouvantes.

Joseph fut le premier à repérer le lionceau.

– Là, dit-il en tendant le doigt.

Cathy entendit un léger grondement; et, enfin, elle aperçut l'animal. Il glissait sur le sable vers le lac. Il avançait fièrement, la tête haute, les oreilles dressées. Il lança un grognement vers l'autre rive.

Cathy, qui n'avait jamais vu un lion en liberté, retint son souffle. Le petit félin était magnifique. Son pelage était couvert de taches brunes, sa longue queue se balançait au rythme de ses pas. Il dressa ses oreilles rondes, attendant une réponse à ses appels.

– Quel âge peut-il avoir? murmura James.

– Six mois, pas plus, répondit Joseph. Trop jeune pour être seul.

– Qui appelle-t-il? demanda Cathy.

Sans craindre leur présence, le lionceau traversa la plage sablonneuse. Ses grosses pattes laissaient des empreintes parfaites.

– Il appelle sa mère! souffla James.

– Elle ne doit pas être loin, dit Cathy, qui savait que les lionnes prennent bien soin de leurs petits.

Ils virent avec surprise le lionceau faire demi-tour et trottiner rapidement vers eux. Il s'approcha de la jeep, leva sur ses occupants ses yeux dorés et gémit.

– Il s'est sûrement perdu! lança James d'une voix émue.

– Ne t'inquiète pas, le rassura Cathy. Il est capable de se débrouiller.

Elle observait le lionceau, qui s'était dressé sur ses pattes arrière et avait posé ses larges coussinets sur la portière du véhicule. Il regarda la jeune fille droit dans les yeux.

– Tu es très beau, souffla-t-elle. Et tu n'as pas peur de nous, pas vrai?

Le jeune lion inspecta l'intérieur de la jeep en grondant. Puis il se laissa retomber à terre et partit vers les buissons épineux.

– Ne t'en va pas! supplia Cathy.

Les minutes s'écoulèrent. La lumière s'intensifia. À cette heure de la journée, la brise venant des montagnes était tombée, et la terre renvoyait la chaleur qu'elle avait accumulée. Cathy gardait les yeux fixés sur l'endroit où le lionceau avait disparu.

– Il ne revient pas, constata James, déçu.

Joseph hocha la tête.

– On y va? proposa-t-il.

Il démarra, se dirigeant vers le camp. Cathy et James se cramponnèrent à la barre de protection; la voiture faisait des embardées sur le sol inégal. Alors qu'ils s'éloignaient du lac, une nuée d'étranges oiseaux d'un bleu électrique émergea de la brousse et s'envola dans un grand bruit d'ailes. D'agiles renards blancs et de gros phacochères jaillissaient çà et là des taillis, leur coupant la route.

En arrivant à Kampi ya Simba, la jeep ralentit. Un groupe de babouins accrochés à un baobab s'élança sur le sol. Les singes encerclèrent la voiture, passèrent leur long visage noir à travers les fenêtres, puis s'éparpillèrent en criant à tue-tête.

Joseph tira le frein à main. Cathy et James se précipitèrent vers l'unique case du camp, le poste de recherches. Ils avaient hâte de raconter leur promenade aux parents de Cathy et à Levina.

Levina Lemiso était une amie de M. et Mme Hope depuis l'époque de l'université. Née en Tanzanie, elle avait poursuivi ses études en Angleterre avant de retourner dans son pays natal. À présent, elle travaillait comme chercheuse scientifique dans le cratère du Ruwenzori.

– Qu'est-ce qui se passe ? Il y a le feu ? plaisanta M. Hope.

– Oh ! Si tu l'avais vu, papa ! Un lionceau ! Il est venu droit sur nous. Il était adorable ! Couvert de taches brunes, comme un léopard en peluche, s'extasia Cathy, tout excitée.

– Ces taches s'appellent des rosettes, précisa son père en souriant. Elles s'estompent quand le lionceau atteint dix mois.

– Peut-être. En tout cas, je n'ai jamais rien vu d'aussi mignon ! Il avait de grands yeux dorés, un petit museau noir et d'énormes pattes !

Emily Hope sortit de la pièce voisine.

– De quoi parlez-vous ? demanda-t-elle avec curiosité.

– D'un lionceau que nous avons aperçu, lui expliqua James.

Emily sourit à Joseph, qui entrait dans le bureau.

– *Jambo.*

Le vieux chauffeur la saluait en swahili, la langue utilisée par les tribus de cette partie de l'Afrique.

– *Jambo*, Joseph. Alors, vous avez découvert un lionceau ?

– Oui, au bord du lac, confirma Joseph en fronçant les sourcils.

– Quelque chose ne va pas ?

Il haussa les épaules :

– Il n'avait ni mère, ni frères, ni sœurs.

– Nous avons pensé que sa famille devait être cachée à proximité. Il ne se serait pas aventuré très loin tout seul, n'est-ce pas ? enchaîna Cathy en interrogeant Joseph du regard.

Avant que le vieil homme eût le temps de

répondre, Levina, qui venait d'arriver à son tour, s'en chargea :

– Normalement, non. Mais c'est une période particulière pour les lions du lac Kasanka. Ils quittent ce côté-ci du cratère.

Cathy se tourna vers la jeune femme, habillée de jaune et de rouge vifs. Levina portait des étoffes drapées : un carré de coton imprimé noué autour de ses hanches faisait office de longue jupe, et un autre tissu bariolé lui enserrait la poitrine.

– Pourquoi ? Je croyais que tout le cratère était un endroit idéal pour les lions, lança M. Hope, intrigué. Ils peuvent se tenir à couvert sous les arbres et derrière les rochers. En plus, le gibier y est abondant.

– Oui, c'est bien le cas, insista Levina. Venez, je vais vous expliquer.

Elle leur fit signe de la suivre sur la véranda.

– Vous voyez les montagnes, de l'autre côté du lac ? Elles s'appellent les monts de la Lune. Le territoire entre les rives et les montagnes est protégé. Cette zone constitue le parc national Ruwenzori. Les animaux y vivent à l'abri des chasseurs et des braconniers. Mais ici, au sud du lac, les rhinocéros, les léopards, les éléphants et les lions ne sont pas sous notre protection. Dans ce secteur, les chasseurs ont le droit de les tirer, et les fermiers peuvent tuer les animaux qui menacent leur bétail. C'est pourquoi nous avons installé notre poste de recherches à cet endroit, sur la rive sud du lac. Nous en avons deux autres, sur les rives ouest et nord. Notre travail consiste à marquer le plus d'animaux possible, en les équipant de minuscules émetteurs radio, qui nous permettent de suivre leurs mouvements dans le cratère. De cette manière, nous savons aussi combien de lions et d'autres grands félins ont été tués.

Levina embrassa du regard le panorama du cratère avant de poursuivre :

– Ceux qui les suppriment, ce ne sont pas les braconniers, comme on pourrait le croire. Ce sont en majorité les éleveurs de bétail, à l'ouest.

Elle désigna une plaine éloignée, sans relief,

où les ombres s'allongeaient sous le soleil couchant.

– Ils accusent les lions d'attaquer leurs troupeaux et demandent au gouvernement l'autorisation de les abattre.

– Comment osent-ils ? s'exclama Cathy, horrifiée.

L'Afrique lui apparut tout à coup comme un endroit extrêmement dangereux pour l'adorable lionceau qu'elle avait vu trotter avec grâce au bord du lac.

– Ils font valoir leurs raisons… Deux lions ont été abattus, ce mois-ci. Il était temps pour nous de réagir. Nous avons appelé à l'aide les gardes du parc national. Ils ont accepté de rassembler les trois groupes de lions qui avaient élu domicile sur la rive Sud. Leur objectif était de les endormir pour les transporter dans des cages jusqu'au parc. Leur travail n'a pas été facile. Ils viennent juste de terminer.

– Ce qui signifie qu'il ne devrait plus y avoir aucun lion sur ce territoire ? l'interrogea M. Hope.

Levina hocha la tête :

– C'est exact. Grâce aux émetteurs portés par les animaux, nous savons avec certitude que tous les lions adultes ont été rassemblés. Au total, il y avait trois mâles et quinze femelles. Quant aux jeunes, nous ne les marquons pas tant qu'ils ne sont pas sevrés et capables de quitter leur mère.

– Alors, les gardes auraient oublié un lionceau…, fit remarquer Mme Hope.

– Oui, j'en ai peur, répondit Levina.

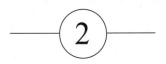

2

Ce soir-là, Cathy resta longtemps éveillée.
De sa tente, elle pouvait entendre les appels
et les cris d'animaux inconnus, parfois
faibles et lointains, parfois très proches.
La voix de James, étouffée, lui parvint de la
tente voisine.

– Cathy, tu dors ?

– Non, murmura-t-elle.

– Je n'arrête pas de penser au lionceau.

Cathy soupira :

– Moi aussi. Tu sais, j'ai demandé à Levina
ce qu'il allait devenir.

– Qu'est-ce qu'elle a répondu ?

Cathy ouvrit sa tente pour admirer les étoiles pendant qu'elle parlait, et James l'imita.

– Elle m'a dit que le lionceau est probablement sevré, ce qui signifie qu'il n'a plus besoin du lait de sa mère. Il est capable de manger de la nourriture solide depuis qu'il a deux mois. Le problème, c'est qu'il n'a pas encore appris à être autonome et à chasser. Il dépend de sa mère ; c'est elle qui tue les proies pour lui.

– Il doit mourir de faim ! Quand est-ce que les gardiens ont transporté les lions au Ruwenzori ?

– Il y a deux jours. Et ce n'est pas tout : le lionceau est menacé par les hyènes et les chacals. C'est pourquoi les lions restent généralement groupés. Les jeunes ne quittent pas leur famille avant d'avoir atteint dix-huit mois.

– Est-ce qu'elle t'a parlé des fermiers ?

– Non. Et je n'ai pas osé lui poser plus de questions.

– Peut-être que les fermiers pensent que tous les lions ont quitté cette zone, suggéra James.

– Je l'espère !

Les deux amis se taisaient à présent, mais ni l'un ni l'autre n'avaient sommeil. Ils revoyaient les yeux dorés du petit félin, croyaient entendre ses appels au secours…

– J'ai une idée ! s'écria soudain James. Levina dispose d'un émetteur radio, non ?

Cathy acquiesça :

– Elle l'utilise pour garder le contact avec les autres scientifiques qui travaillent dans le cratère.

– Ce qui veut dire que nous pouvons joindre les gardes du parc national !

Cathy comprenait maintenant où James voulait en venir.

– Nous leur demanderons de revenir chercher le lionceau ! dit le garçon. Et ils le ramèneront au parc, où il retrouvera sa famille !

– James, c'est une idée géniale ! Demain matin, nous en parlerons à Levina.

Thomas, le cuisinier du camp, s'était levé à l'aube pour s'occuper du petit déjeuner. Le cratère était envahi par un brouillard épais. Thomas alluma le feu et fit bouillir de l'eau. Cathy fut réveillée par le cliquetis des casseroles et des tasses en métal. Elle quitta son sac de couchage et enfila un T-shirt et un short. Elle attacha rapidement ses cheveux blonds, puis sortit de la tente et courut vers le feu.

James émergea en même temps qu'elle, les cheveux ébouriffés, le visage rougi par le soleil de la veille. Il frissonna :

– Brrr, quel froid ! Personne ne nous croirait ! Nous sommes en plein milieu de l'Afrique, et on gèle.

Thomas sourit. Il apporta la grande casserole d'eau bouillante sur la véranda et se mit à préparer le thé.

Mme Hope sortit de sa tente en rampant. Elle se redressa et jeta un coup d'œil sur les montagnes voilées par le brouillard. Ensuite, elle inspira profondément et embrassa les enfants.

– Du thé ! gémit une voix à l'intérieur d'une autre tente.

C'était le père de Cathy.

– Il est prêt ! cria sa fille. Sors de là, tu vas rater le lever du soleil !

– J'arrive ! grogna M. Hope.

Il passa la tête hors de la tente, se frotta les paupières et regarda les autres d'un air endormi.

Cathy éclata de rire :

– Papa, on dirait que tu as été piétiné par un éléphant !

Son père avait la barbe hirsute, les cheveux dressés sur la tête, et son T-shirt était tout froissé.

– C'est exactement l'impression que j'ai ! confirma-t-il en se levant péniblement.

– Papa, nous avons pensé…, commença Cathy.

– Ah non ! Il est bien trop tôt pour ça !

– Écoute, Papa, James a eu une idée géniale !

– Quelle idée ?

Levina sortait du bureau. Elle était resplendissante dans sa robe orange et vert. Autour de sa tête elle avait enroulé une étoffe assortie.

– Nous avons trouvé une solution pour sauver le lionceau, annonça James avec enthousiasme.

– Vraiment? s'étonna Levina. N'oubliez pas que nous sommes en Afrique! Attraper un lion de six mois n'a rien à voir avec le sauvetage d'un chaton coincé dans un arbre!

– C'est bien pour ça que nous n'avons pas l'intention de le faire nous-mêmes! rétorqua James.

Les yeux de Cathy pétillaient. Elle lança un regard impatient à son ami :

– Dis-leur, James!

Le garçon expliqua son idée en rougissant :

– Nous avons pensé que les gardes du parc accepteraient peut-être de revenir chercher le lionceau. Nous les contacterions avec ton émetteur radio.

– Ce n'est pas exclu. Mais je ne vous promets rien, répondit Levina.

Posé sur une étagère dans le bureau, l'émetteur radio craqua et siffla. Levina enfonça différents boutons pour trouver la fréquence du poste des gardes du parc national Ruwenzori.

– *Jambo*. Ici Levina Lemiso. Ici Levina Lemiso. Me recevez-vous ? À vous, Matthew Mulakesi.

L'émetteur crachota, une voix de femme se fit entendre :

– *Jambo*, Levina. *Habari* ? Ici Joan Mulakesi, la femme de Matthew. Matthew n'est pas là. Vous nous appelez pour une urgence ?

– Nous avons besoin de votre aide, Joan. Nous avons retrouvé un lionceau de ce côté-ci du lac. Matthew et son équipe ont dû l'oublier. Nous voudrions savoir s'il accepterait de revenir le chercher.

– Quand ?

– Aussi rapidement que possible. Le lionceau ne tiendra pas longtemps livré à lui-même.

– Je suis désolée, Levina, Matthew est parti dans le Nord avec ses hommes. Il a été averti de la présence de braconniers qui s'attaquaient aux éléphants.

Cathy soupira tristement. Elle voyait tous ses espoirs s'effondrer d'un seul coup.

– Quand rentrera-t-il ? demanda Levina.

– Dans trois ou quatre jours, pas avant.

– Merci, Joan, dit Levina en hochant la tête. Elle coupa à regret la communication et se tourna vers ses amis.

– Que peut-on faire ? l'interrogea Mme Hope.

— S'il continue à errer seul, une hyène finira par le tuer, tôt ou tard. Mais, avec un peu de chance, nous croiserons le lionceau au cours de nos expéditions. Alors, nous l'amènerons ici et nous le garderons avec nous jusqu'à ce que Matthew revienne. Il sera à l'abri du danger, et nous le nourrirons convenablement.

— Ce qui signifie qu'il faudra l'enfermer ? s'alarma Cathy.

— Malheureusement, oui, répondit Levina. Il faut aussi savoir que ça rendra plus difficile sa remise en liberté.

— Tu veux dire que, si le lionceau reste en contact avec des êtres humains, il risque de perdre ses réflexes d'animal sauvage ? demanda la jeune fille.

— Oui, et de devenir trop confiant, confirma Levina. Or, cela provoquerait sa perte par la suite !

Cathy ne tenait plus en place :

— N'empêche que, si nous nous occupons de lui, il a une chance de survivre ! Alors, essayons !

Elle ne pouvait supporter l'idée de laisser le lionceau à la merci des hyènes.

– Très bien, essayons, céda Levina.

Rapidement, un plan d'action fut mis sur pied : M. et Mme Hope allaient partir vers l'Ouest, là où paissait le bétail des fermiers, pour vérifier si le lionceau ne s'était pas aventuré jusque-là. Quant à Cathy et James, ils décidèrent de retourner avec Joseph au bord du lac, là où ils avaient vu le lionceau pour la première fois.

– N'oubliez pas d'emporter la cage ! les interpella Levina alors qu'ils s'apprêtaient à monter dans la jeep.

Elle tendit à James une grande caisse en bois avec un côté grillagé. Le garçon la hissa à l'arrière de la voiture.

– Si vous trouvez le lionceau, Joseph vous aidera à l'appâter avec les morceaux de viande qui se trouvent dans ce sac. Mais soyez prudents. Tenez-vous à distance de ses griffes et de ses dents ! Bonne chance !

La jeep s'ébranla, et bientôt elle s'engagea

sur la piste dans un nuage de poussière rouge. On entrevoyait la rive du lac bordée d'un liséré blanc. Joseph expliqua aux enfants que c'était du sel, qui s'y déposait lorsque l'eau s'évaporait. Derrière ce liséré s'étalait un large nuage rose : c'étaient des milliers de flamants qui se nourrissaient au bord de l'eau.

En route vers le lac, ils croisèrent un troupeau d'impalas, qui avançaient, leurs longues cornes pointues dressées vers le ciel, puis quelques gnous, pesants, le cou épais et la tête large. Joseph désignait les animaux à Cathy et à James, qui les trouvaient à la fois surprenants et magnifiques. Mais, en réalité, ils ne pensaient qu'au lionceau. Ils plissaient les yeux en scrutant sans cesse l'étendue broussailleuse.

– Des girafes !

Joseph freina et tendit la main vers l'horizon. Les deux amis aperçurent trois silhouettes, qui s'approchaient à grandes enjambées d'un buisson d'épineux. Elles se balançaient sur leurs immenses pattes avant.

Dans leur course, leur cou oscillait d'un mouvement régulier. Cathy était émerveillée, mais elle pressa Joseph de repartir.

Arrivés au lac, ils ralentirent. Le bruit du moteur se réduisit à un murmure. La voiture progressait lentement sur les galets de la rive.

Tout proches, quelques flamants levèrent la tête. Ils sortirent, inquiets, leurs longues pattes rouges hors de l'eau, mais ne s'envolèrent pas quand le véhicule passa à côté.

La main en visière, Cathy examinait le paysage. Elle fouillait du regard l'ombre des arbres, la moindre anfractuosité des rochers.

– Pas de chance, soupira James.

– Nous le trouverons, James, j'en suis sûre.

Le soleil était monté haut dans le ciel. La fraîcheur de la matinée avait cédé la place à une chaleur intense. La jeep continuait à zigzaguer sur le sol inégal du cratère.

– Là, des hyènes ! cria Joseph.

Cathy s'agrippa à la portière de la jeep. Tapie dans les hautes herbes, une silhouette grise épiait en silence. Sa tête était relevée, sa gueule ouverte. Aussi immobile qu'une pierre, l'animal guettait une proie qu'ils n'apercevaient pas.

Joseph en désigna trois autres, qui contournaient un rocher pointu, les yeux fixés sur un point. Elles s'approchaient à ras de terre pour surprendre leur proie.

À ce moment-là, Cathy et James virent une gazelle solitaire. Elle dressa la tête et renifla. Ils retinrent leur souffle. Pourvu que la gazelle sente le danger! Et, soudain, elle réagit. D'un bond, elle s'élança à travers les hautes herbes pour rejoindre son troupeau. Les hyènes baissèrent la tête et s'en allèrent. Cathy et James se sourirent, soulagés.

Une chaleur étouffante écrasait à présent le paysage silencieux. Les heures s'écoulaient dans une sorte de torpeur.

Ils passèrent au milieu d'énormes cactus verts, puis longèrent les épais troncs gris des baobabs. D'immenses fleurs orange s'épanouissaient sur des arbustes d'un vert sombre, et les mêmes oiseaux bleu électrique qu'ils avaient remarqués la veille s'envolèrent à leur approche.

Mais toujours aucune trace du lionceau. «Pourvu que les hyènes ne l'aient pas trouvé avant nous!» pensa Cathy, inquiète.

Depuis un moment, plus aucun mouvement ne troublait le calme de la brousse. Le soleil forçait les animaux à rester à l'ombre ou à descendre au fond du cratère pour boire..

Au bord du lac, Cathy vit des zèbres, dont les rayures blanches et noires se détachaient sur l'eau bleue.

– Regarde! s'écria James en saisissant le bras de son amie. Vite, Joseph, vite!

Joseph et Cathy suivirent du regard la direction indiquée par James. Ils constatèrent que les zèbres s'étaient arrêtés de boire. Une vague d'angoisse parcourut le troupeau. Quelques animaux trottinèrent vers la terre ferme.

– Il se passe quelque chose! dit James.

Ils s'accrochèrent alors que la jeep prenait de la vitesse. Maintenant, les zèbres paniquaient. Ils se serraient les uns contre les autres, se cabraient et se bousculaient en regardant vers la brousse.

– C'est peut-être notre lionceau qui les a effrayés, murmura Cathy.

– Ou une hyène…

Quel que fût le danger, les zèbres s'agitaient de plus en plus. L'un d'eux se détacha du troupeau. Les autres suivirent aussitôt.

– C'est le même arbre qu'hier! s'écria soudain Cathy. C'est là qu'on l'a vu!

Elle avait reconnu la forme caractéristique du rocher et les branches de l'arbre disposées en éventail.

Le troupeau entier s'enfuyait à présent, soulevant un épais nuage de poussière. On entendait le bruit des sabots qui frappaient la terre, mais on ne voyait pas ce qui les avait fait partir. Cathy ferma les yeux en répétant: « Pourvu que ce soit lui! Pourvu que ce soit lui! » Il fallut attendre. Joseph arrêta la jeep. Quand la poussière rouge retomba autour d'eux en tourbillons, peu à peu, une silhouette apparut, toute droite. Un adolescent drapé dans une étoffe pourpre, immobile et silencieux, se tenait à quelques mètres de la voiture.

Ils attendirent que la poussière se soit entièrement dissipée. Cathy sentit sa gorge se serrer. Elle avait peur.

Le garçon ne bougeait pas. Il les fixait sans ciller; le blanc de ses yeux contrastait avec sa peau très sombre. De lourds colliers, rouges, blancs et noirs, entouraient son cou. Ses longues jambes et ses pieds étaient nus.

– Qui est-ce? chuchota James.

Le regard du garçon les glaçait. Il les observait en silence. Quand Joseph descendit de la jeep et s'approcha de lui, seuls ses yeux remuèrent.

Le chauffeur leva lentement la main et le salua :

– *Jambo*.

4

Cathy secoua la tête, stupéfaite : c'était comme si le garçon était apparu par magie. Il n'y avait personne, et, une seconde plus tard, il se tenait devant eux !

Il s'adressa à Joseph en swahili, parlant très vite.

– Qu'est-ce qu'il fait là ? demanda Cathy, méfiante.

Le garçon semblait farouche. Il ne souriait pas. Il désigna les zèbres de la main, puis se tourna vers le lac.

– Il doit chasser, lança James.

Le garçon portait un long bâton pointu.

– Peut-être qu'il était à l'affût, poursuivit James.

– De notre lionceau ?

Levina n'avait pas mentionné les tribus de la région dans la liste des dangers qui menaçaient le lionceau, mais elles étaient peut-être à sa poursuite, elles aussi. Un mélange de peur et de colère s'empara de Cathy. Elle fit mine de quitter la voiture pour protester, mais James la retint par le bras.

La conversation avait été brève. Joseph revenait déjà sur ses pas alors que le garçon allait s'abriter sous un arbre.

Le vieil homme agita la main :

– Venez !

Le garçon les dévisageait de loin, son étoffe pourpre jetée sur une épaule. Serré entre ses doigts, le bâton paraissait menaçant.

– *Simba*, dit Joseph.

– Lion ! traduisit James, *simba* veut dire lion. Est-ce qu'il aurait vu le lionceau ?

Les deux amis n'hésitèrent plus. Ils s'élancèrent vers Joseph, qui les conduisit auprès du garçon.

– Il dit que le lionceau n'est pas loin. Il y a des empreintes au bord de l'eau. Et les zèbres l'ont senti dans le vent.

– C'est pour ça qu'ils se sont enfuis ?

– Oui. Mais le bruit du moteur l'a effrayé, et il s'est sauvé.

« Ouf, pensa Cathy. L'autre aurait pu le tuer ! »

– Il connaît les lions du lac Kasanka, reprit Joseph. Venez plus près et écoutez ce qu'il a à dire.

– Il parle anglais ? s'étonna James.

– Oui. Il l'a appris à l'école. Il sait où les lions dorment, où ils chassent et à quel moment ils viennent boire.

Ils se glissèrent dans la maigre ombre de l'épineux. Cathy, intimidée, n'osait pas dire un mot.

Le garçon avança vers eux :

– Le lionceau était ici, près de l'eau. Vous avez fait beaucoup de bruit. Il s'est enfui.

Sa voix était posée et son regard calme et rassurant.

– Est-ce que tu pourrais le retrouver?

Il hocha la tête.

– Bien sûr! intervint Joseph. Il a un don. On l'appelle Simba.

Un sourire de fierté passa sur les lèvres de l'adolescent.

James fronça les sourcils:

– Simba? Pourquoi lui a-t-on donné ce surnom?

– Parce qu'il est l'ami des lions. Simba, le frère du lion. Tel est son nom.

– Leur ami? répéta Cathy. Ce n'est donc pas un chasseur?

Joseph éclata de rire:

– Chasser? Non, Simba respecte les lions. Il leur parle.

De nouveau, le garçon sourit et hocha la tête.

– Il n'y a pas de temps à perdre! Le lionceau a faim, il est faible, expliqua Joseph. Il est incapable de tuer, et risque d'être attaqué. On va l'attendre ici. Il est presque midi. Simba dit que le lionceau reviendra pour boire.

Cathy jeta un œil vers la jeep:

— Faut-il aller chercher la cage ?

— Non. Observez Simba, et faites comme lui. Et pas de bruit !

Ils attendirent en silence dans l'ombre de l'arbre. Le soleil, à la verticale, frappait l'eau bleue du lac. Une brume de chaleur tremblait au-dessus de la terre rouge. Tout était immobile et semblait irréel.

Un oiseau s'envola soudain de la rive. Un oiseau blanc et noir, au grand bec recourbé : un ibis. Il effraya un groupe de flamants roses au bord de l'eau.

Simba se courba et se mit à s'approcher d'eux. Joseph fit signe à Cathy et James de le suivre.

Ils se baissèrent et commencèrent à avancer. Simba progressait sans bruit. Il posait ses pieds nus sur la terre avec prudence. Son grand bâton frôlait le sol.

Soudain, il s'arrêta. Cathy et James l'imitèrent. Leur regard se porta vers des touffes d'herbe sèche tout près de l'eau. On entendit un bruissement. Était-ce la brise ou le pauvre lionceau ?

D'un geste, le garçon leur demanda de ne pas bouger. Il se remit à avancer.

Cathy se sentait très nerveuse. Elle ne quittait pas des yeux Simba. Soudain, il tourna la tête.

Alors Cathy comprit. Plus loin, cachés dans l'herbe brune, une paire de petites oreilles, deux yeux dorés et un museau pointaient.

L'animal tourna la tête pour regarder Simba. C'était leur lionceau !

Il était étendu au milieu des herbes fauves, qui le cachaient parfaitement. Seul le mouvement de ses oreilles le trahissait. Il avait vu le garçon, et il semblait attendre qu'il le rejoigne.

Les enfants entendirent l'adolescent émettre de petits bruits.

— Écoute ! Il lui parle ! souffla James.

— Chut ! fit Joseph.

Simba posa son bâton et se coucha sur le sol, continuant à parler d'une voix calme.

Cathy vit avec étonnement le lionceau se lever. Il arqua le dos, s'étira et bâilla.

Simba tendit une main. Le lionceau s'approcha. Le garçon baissa la tête, et ils appuyèrent leurs fronts l'un contre l'autre. Au murmure du garçon se mêla le ronronnement du lion.

Cathy et James n'en croyaient pas leurs yeux. Simba caressait à présent le petit lion sans aucune appréhension. Puis il prit quelque chose dans un repli de son pagne. Ils virent le lionceau renifler un sac de cuir fermé par une cordelette.

– De la viande, expliqua Joseph. Le lionceau l'a sentie.

Simba sortit la viande du sac. Le lionceau s'en empara, l'emporta à bonne distance, et se mit à la déchirer de ses dents acérées.

– Il a très faim ! Mange, petit, mange ! l'encouragea Joseph.

Simba s'accroupit et attendit que le lion fût rassasié.

– Maintenant, est-ce qu'on peut apporter la cage ? chuchota-t-elle.

Le vieil homme hocha la tête.

Tout doucement, ils reculèrent vers la jeep pour décharger la lourde caisse de bois.

Quand ils revinrent, le lionceau avait dévoré son repas. Il était assis près de Simba et faisait sa toilette.

Cathy sourit à James, émerveillée :

— On dirait un gros chaton !

Le lionceau léchait ses pattes et les frottait contre son museau et derrière ses oreilles.

— Les lions sont les rois des animaux, non ? Alors lui, c'est un prince ! affirma James.

— Comment va-t-on l'appeler ? demanda Cathy en oubliant de baisser la voix.

— Pourquoi pas Safi ? proposa Joseph. C'est la réponse qu'on donne à un salut, en swahili. Quand on te dit : *Habari* ? Comment allez-vous ? tu réponds : *Safi*, ce qui veut dire : Bien.

— Safi ? Ce sera parfait pour lui, approuva Cathy en admirant le lionceau.

Celui-ci avait fini sa toilette et pointa ses oreilles, tout à coup méfiant.

Simba décocha un regard furieux à Cathy et à James en apercevant la cage. Il prit son bâton et se redressa, rejetant l'étoffe pourpre par-dessus son épaule.

– Qu'est-ce que ça signifie ? s'inquiéta James.

Simba lança quelques mots au lionceau ; un ordre bref. Le jeune lion grogna. D'un ton sec, le garçon lui donna un second ordre. Le lionceau fit demi-tour et s'en alla.

– Non, attends ! s'exclama Cathy. Ne le laisse pas partir !

Elle voulut s'élancer derrière Safi, mais Simba lui coupa le chemin. Il cria, et le lion se mit à courir. Il trottait avec souplesse le long de la rive, en direction de l'épineux qui l'avait caché la veille.

– C'est pour le sauver ! plaida Cathy.

Simba secoua la tête :

– Il aime être libre.

– Je sais ! Nous voulons juste le transporter vers les montagnes, où se trouve sa mère. Il restera enfermé pendant quelques heures, mais, une fois arrivé, il sera libre ! affirma-t-elle, désespérée.

Le lionceau avait atteint l'arbre. D'un bond, il fut sur la branche la plus basse. Bientôt, sa silhouette tachetée disparut dans le feuillage.

– Tu ne comprends pas ! S'il reste seul ici, les hommes ou d'autres animaux le tueront ! s'écria Cathy.

Simba lui barrait toujours la route. Il planta son bâton devant elle. Son regard la transperçait.

Cathy se tourna vers Joseph :

– Explique-lui que Safi mourra s'il reste ici !

Mais le vieil homme lui prit le bras :

– Simba sait. Il est l'ami des lions. Il faut l'écouter.

Levina passa un bras autour des épaules de Cathy :

– Je suis désolée.

Elle était sortie sur la véranda dès qu'elle avait entendu la jeep, et elle avait tout de suite compris que quelque chose n'allait pas. James lui raconta en détail ce qui s'était passé, pendant que Joseph déchargeait la cage vide.

– Simba ne nous laissera plus approcher, conclut le garçon en s'affalant sur une marche, les mains pendantes. Et nous pensions qu'il allait nous aider!

— C'était le cas, leur assura Levina. Simba sait mieux que personne quelles menaces pèsent sur le lionceau.

— Alors pourquoi n'a-t-il pas compris notre plan? gémit Cathy. Il ne pourra pas nourrir Safi et veiller sur lui tout le temps. À un moment ou à un autre, il sera obligé de le laisser seul, et alors…

— Simba sait parfaitement ce qu'il fait! répéta Levina. S'il n'a pas jugé bon de mettre le lionceau en cage, il faut respecter cette décision. Je le connais depuis long-temps. Il ne se trompe jamais quand il s'agit d'un lion.

— Peut-être. Personne n'aime emprisonner un animal… Mais Simba n'a pas trouvé de meilleure solution: il n'a fait que l'envoyer dans un arbre! répliqua James.

Un peu plus tard, Cathy et James aidèrent Levina à capter les signaux envoyés par les émetteurs portés par les lions qui avaient été lâchés dans les montagnes Ruwenzori.

Suivant les indications de la jeune femme, les deux amis plantèrent des punaises sur une carte de la région afin de déterminer la position exacte des animaux.

Pour le premier groupe, ils utilisèrent des punaises blanches, pour le deuxième, des bleues, et pour le troisième, des rouges.

– Ils ont marqué leurs nouveaux territoires. Matthew les a relâchés dans des endroits où il n'y avait pas d'autres lions. Maintenant, ils peuvent s'installer en toute tranquillité, expliqua Levina en désignant les zones colorées sur la carte.

Elle regarda sa montre et éteignit la radio, satisfaite :

– Je dois partir à Arusha avec Joseph. Nous passerons la nuit sur place et, demain matin, nous ferons le plein de nourriture. Ça vous dirait de nous accompagner ?

Cathy et James secouèrent la tête. Le voyage impliquait une longue route à travers des étendues sauvages ; ils verraient sans doute des éléphants et des girafes. Mais ils ne reviendraient que tard le lendemain, et ils ne pourraient pas partir à la recherche du petit lion, comme ils en avaient convenu avec les parents de Cathy.

Levina et Joseph chargèrent la jeep et prirent la piste en direction de la ville, laissant M. et Mme Hope et les enfants en compagnie de Thomas.

Cathy et James s'éloignèrent un peu du camp afin d'observer les rives du lac.

– Je me demande si Simba monte toujours la garde, murmura James.

– Moi aussi !

– J'espère que Safi est sain et sauf, poursuivit James. Oh, des visiteurs !

Trois nuages de poussière approchaient du camp. Deux des voitures ralentirent, alors que la troisième continua à toute vitesse.

Thomas, accroupi près du feu, leva la tête. M. et Mme Hope descendirent de la véranda.

La jeep freina brutalement dans la cour. Un homme vêtu d'un costume safari beige et chaussé de lourdes bottes sauta sur le sol. Il claqua sa portière et s'avança à grandes enjambées. Il s'adressa à Thomas :

– Où est le docteur Lemiso ?

– Partie, répondit le cuisinier, sans *jambo* ni sourire de bienvenue pour ce visiteur pressé.

– Partie où ?

L'homme dévisagea Cathy et James, qui s'étaient approchés. Puis il se tourna vers M. et Mme Hope.

– Je suis Larry Southall, déclara-t-il. Je dirige la ferme de Kijano, là-bas, à l'ouest. J'ai quelques mots à dire au docteur Lemiso à propos d'un lion en liberté.

M. Hope s'avança pour se présenter.

– Nous sommes au courant, ajouta-t-il.

Cathy examinait le visiteur. Trapu, il portait une épaisse ceinture de cuir autour de la taille. Son visage brûlé par le soleil était protégé par une casquette. Il avait des cheveux roux coupés court, un nez proéminent et une bouche étroite. Un fermier de l'ouest, un de ceux qui obtenaient des permis pour tuer les lions !

– Alors, vous savez qu'il y a eu embrouille, lança l'homme au père de Cathy. Ces bons à rien de gardes ont oublié un jeune lion, qui s'en prend à mon bétail !

– Quand a-t-il attaqué vos bêtes ? demanda Mme Hope.

– La nuit dernière. Et la nuit d'avant, on l'a vu chez Bill Irvine. D'ici peu, il nous prendra une vachette, c'est moi qui vous le dis !

– Ce n'est qu'un lionceau...

– Raison de plus pour l'éliminer rapidement ! Les plus jeunes sont les pires. Ils ne font que mutiler la bête, parce qu'ils ne savent pas tuer ou qu'ils n'en ont pas la force. Quand on la trouve le matin, il faut qu'on l'achève nous-mêmes. Cette histoire peut nous coûter une fortune si on ne réagit pas vite !

Cathy était horrifiée par les propos du fermier.

– Vous l'avez vu rôder autour du camp ? demanda celui-ci.

M. Hope s'éclaircit la gorge.

– Non. Le lionceau n'a pas été vu dans les environs, affirma-t-il.

Cathy soutint bravement le regard inquisiteur de l'homme.

— Vous venez juste d'arriver, non ? Vous ne sauriez même pas le repérer !

Il se tourna vers Thomas :

— Et toi ? Tu l'as vu ?

Thomas détourna la tête, soudain absorbé par son feu.

Larry Southall regardait autour de lui avec suspicion.

— Bill Irvine est là avec sa jeep, poursuivit-il, et j'en ai deux qui viennent de chez moi. On le trouvera, croyez-moi !

M. Hope jeta un coup d'œil vers le soleil couchant :

— Pas avant la tombée de la nuit, j'imagine ?

— Peut-être pas.

Le fermier renifla et se dirigea vers sa voiture. Soudain, il fit volte-face.

— Mais sachez que je poste un garde armé près de mon bétail ce soir, lança-t-il en pointant un doigt menaçant sur le petit groupe. Je ne prendrai pas de risques ! Et mes voisins non plus, s'ils ont un peu de bon sens.

Il grimpa dans sa jeep.

Cathy regardait l'homme en serrant les

poings. Elle répétait : « Va-t'en ! Va-t'en, grosse brute, et ne reviens jamais ! »

– Dites au docteur Lemiso que je suis passé, et que j'ai obtenu un permis de chasse. On a le droit de tirer, maintenant ! lança encore l'homme.

– Je le lui dirai, fit calmement M. Hope.

La jeep démarra en vrombissant. Larry Southall se pencha par la portière pour donner un dernier avertissement :

– Et prévenez-la que nous serons dans la plaine dès demain matin ! Armés jusqu'aux dents !

6

L'obscurité envahit rapidement le cratère du Ruwenzori. Assis sur la véranda éclairée par une lampe à pétrole, Cathy et James parlaient de la journée du lendemain.

– Il faut que nous arrivions les premiers sur les lieux, insista la jeune fille.

– Ce sera la course ! remarqua James, la voix tendue.

M. Hope appela de sous sa tente :

– Il est temps d'aller dormir, les enfants ! Demain, il faut se lever tôt.

La mère de Cathy sortit de la douche, une

torche électrique à la main. Elle rejoignit les enfants sur la véranda avant d'aller se coucher :

– Récapitulons. Nous serons debout avant l'aube. Les fermiers sont plus loin du lac que nous, donc nous devrions être là-bas avant eux. Avec un peu de chance, nous trouverons le lionceau et nous serons repartis avant qu'ils n'arrivent. C'est bien ça ?

Cathy et James acquiescèrent. Mme Hope se pencha pour les embrasser.

– Essayez de ne pas trop vous inquiéter ! À demain !

– Comment allons-nous faire pour retrouver Safi ? soupira Cathy quand sa mère fut partie. Par où commencer ?

Elle savait que leurs chances de réussite étaient réduites sans Joseph pour les guider.

– Tu crois que nous aurons besoin d'aide ? lui demanda James.

– Oui.

Le silence s'installa sur la véranda. Un papillon de nuit, attiré par la lumière, voletait autour de la lampe.

– On pourrait demander à Simba…, murmura enfin la jeune fille.

– Cathy, ce n'est même pas la peine d'y penser !

James se leva et repoussa sa chaise :

– Ça ne marchera jamais ! Simba n'acceptera pas de nous aider, maintenant qu'il sait que nous voulons mettre Safi en cage.

– Mais si on lui explique que des fermiers le traquent avec leurs fusils ? Ça, il ne le sait pas, dit Cathy d'un ton pressant.

– Bon, et comment le trouver ?

– Thomas nous le dira !

Ce dernier, installé dans la case, était en train d'écrire une lettre et avait l'air très absorbé. Cathy se leva :

– Allons lui parler !

– D'accord. Ça vaut la peine d'essayer, répondit James d'un ton décidé.

Le cuisinier accueillit leur demande en fronçant les sourcils :

– Oui, je sais où Simba habite. Son *boma* est près d'ici.

– Où cela ? demanda Cathy.

– Derrière le grand baobab, au sommet de la colline.

– Tu voudrais bien nous y conduire demain, à l'aube ?

Thomas les écoutait en tapotant la table avec son stylo.

– C'est un village massaï, objecta-t-il. Je ne suis pas un Massaï.

– Mais tu parles le swahili ! intervint James. Tu expliquerais aux habitants qu'on doit avertir Simba de l'arrivée des fermiers, et lui dire qu'ils sont armés.

Thomas leva la main :

– Ce n'est pas la langue qui pose problème. Les Massaï sont un peuple fier. Ils détestent les fermiers, c'est vrai ; mais ils ne nous aiment pas non plus. Ils disent qu'ils étaient les premiers à vivre sur les rives du Kasanka. La terre leur appartient.

Thomas plia lentement sa lettre.

– C'est notre seule chance de sauver Safi ! insista Cathy. Simba obtient tout ce qu'il veut des lions. Et je suis sûre que les Massaï ne refuseront pas de nous écouter. S'il te plaît, Thomas, ne nous laisse pas tomber !

Le jeune homme la regarda bien en face. Il fit claquer sa langue.

– Je serai prêt à l'aube, lâcha-t-il enfin. Nous irons au *boma*.

Le village de Simba était construit à l'ombre d'un bosquet d'épineux. Imposant avec son tronc tourmenté et le bouquet de branches qui s'emmêlaient autour, le gros arbre cachait l'entrée du *boma*.

Une douzaine de cases rondes composaient un cercle, protégé par une clôture faite de branches d'épineux, coupées et tressées de manière à former une enceinte solide. Les cases étaient coiffées de toits de paille. Elles ne possédaient ni fenêtres ni cheminées. Seule une ouverture étroite laissait entrevoir un intérieur obscur. Cathy aperçut une silhouette élancée qui sortait de l'une des huttes pour se glisser par une fente dans la clôture.

Thomas descendit de la jeep.

– On y va ? lança-t-il à Cathy.

La jeune fille regarda le village massaï avec inquiétude.

Thomas les avait convaincus qu'il valait mieux que Cathy vienne seule avec lui dans le *boma*. Il se dirigea vers l'homme qui les attendait à l'entrée du village.

– Si vous avez besoin de nous…, dit M. Hope à sa fille.

Du siège arrière de la jeep, James leva la main pour souhaiter bonne chance à son amie.

Cathy sourit et suivit Thomas. Ils franchirent la clôture, accompagnés de leur guide.

Les Massaï sortirent les uns après les autres de leurs cases. Des femmes drapées de robes colorées, les oreilles ornées d'anneaux de perles et d'argent, s'approchèrent de Cathy. Les enfants se cachaient derrière leur mère, curieux et un peu inquiets. Une bande d'adolescents se rassembla sous un arbre… Tout cela dans un silence total.

Leur guide s'arrêta devant la plus grande des cases. Un vieil homme apparut.

– *Jambo*, dit Thomas.

Il poussa Cathy du coude pour qu'elle l'imite.

– *Jambo*.

Le vieil homme la fixa avec intensité. Puis il rompit le silence d'un seul mot :

– *Karibu*.

– Que dit-il ? glissa Cathy à l'oreille de Thomas.

– « Bienvenue. » C'est le chef du village.

Thomas salua le vieil homme de la main.

– *Habari* ? fit-il.

– *Safi*.

Cathy poussa un soupir de soulagement. La glace était rompue. Les Massaï acceptaient leur présence.

– Demande-lui aussi où nous pouvons trouver Simba, chuchota-t-elle à Thomas avec insistance.

Celui-ci se lança dans un flot de paroles. Le chef du village l'écoutait, tandis que les autres hommes restaient à l'écart et que les femmes retenaient les enfants. Thomas rapporta la réponse du vieil homme à Cathy :

– Simba doit s'occuper des chèvres. Pendant la journée, il les emmène brouter dans la vallée.

Cathy regarda autour d'elle. Plus loin, la barrière qui entourait le village formait un petit enclos. Des dizaines de chèvres noires, marron et crème s'y bousculaient en bêlant.

– Demande-lui si Simba ne pourrait pas se faire remplacer par un autre garçon, juste pour aujourd'hui. Dis-lui qu'il faut sauver le lionceau, sinon les fermiers vont le tuer ! supplia Cathy.

Le vieil homme répondit à cela en parlant avec animation.

– Simba lui a parlé de vous. Il ne veut pas vous aider, traduisit Thomas.

Cathy fronça les sourcils :

– Explique-lui que nous ne voulons aucun

mal au lion, et que les fermiers, eux, sont armés !

Le chef écouta encore, puis il fit claquer sa langue. Il porta son regard vers la vallée. Ses yeux se rétrécirent jusqu'à ne plus former qu'une fente. Il donna un ordre. L'un des hommes alla chercher Simba.

– Le vieil homme déteste les fermiers, dit Thomas. Il n'aime pas que leur bétail s'engraisse de l'herbe de la vallée. Et il déteste leurs armes.

Il adressa un sourire d'encouragement à Cathy :

– Regarde. Voilà Simba.

Une foule curieuse et bavarde les entourait maintenant.

– Il faut sauver le lionceau ! lança Cathy après avoir salué le jeune Massaï.

Simba la fixa durement.

– Pour le mettre en cage ? dit-il.

– Non. Pour l'emmener dans les montagnes. Sinon les fermiers le tueront. Tu ne comprends pas ?

– Je comprends que votre plan n'est pas

bon, rétorqua Simba. Vous voulez le mettre en cage et le transporter en voiture? Et comment saura-t-il que vous êtes là pour l'aider? Est-ce qu'il voudra vous suivre? Non, il essayera de s'échapper. Et si vous le forcez, vous deviendrez ses ennemis.

– Que faire d'autre? insista Cathy. Le temps presse!

– Il y a d'autres moyens. Vous devriez gagner sa confiance.

Cathy comprit alors ce que Simba essayait de lui dire. Ses propos montraient qu'il connaissait parfaitement les lions.

– Mais comment? demanda-t-elle.

– Nourrissez-le. Parlez-lui. Chassez avec lui, dormez avec lui. Prenez soin de lui comme si vous étiez sa famille. À votre place, je partirais avec lui à pied vers la montagne, ajouta Simba.

– À pied?

La montagne se trouvait à plus de quarante kilomètres! Quarante kilomètres à parcourir dans la brousse, au milieu de mille et un dangers!

– Oui. Et, une fois dans la montagne, je chercherais les siens. À ce moment-là, nous serions certains de l'avoir sauvé.

Cathy planta son regard dans les yeux noirs de Simba :

– *Nous* ? Tu veux dire que tu nous aiderais ?

– Peut-être. Il faut que je parle au vieil homme.

L'adolescent se tourna vers le chef de son village. Cathy attendit que Thomas traduise ce qu'ils disaient.

– Il lui demande la permission de partir. Le chef lui répond que ton père et ta mère doivent être informés de ses intentions.

Un homme s'élança aussitôt vers la clôture. Bientôt, M. et Mme Hope et James rejoignaient le groupe. Cathy, elle, les yeux fermés, imaginait déjà le fantastique périple à travers le cratère, en compagnie de Safi. Cela dépassait ses rêves les plus fous !

De longues minutes s'écoulèrent, au cours desquelles les parents de Cathy saluèrent le chef du village, tandis que le soleil montait inexorablement à l'horizon.

– Le voyage prendra deux ou trois jours, expliqua Thomas. Il faudra marcher le matin et le soir, et se reposer l'après-midi.

– Ce sera difficile? demanda M. Hope avec une expression soucieuse.

– Il faudra beaucoup marcher, répondit Simba. Mais les terres autour du lac sont plates. C'est facile.

La mère de Cathy n'était pas plus rassurée:

– Je voudrais savoir si c'est dangereux.

Simba haussa les épaules:

– Pas pour moi.

C'était sa vie de tous les jours: marcher dans la brousse, vivre au milieu des animaux.

– Alors, il n'y a pas de danger pour eux non plus, s'ils me suivent.

Cathy et James se tournèrent vers M. et Mme Hope, guettant leur réponse, quand le père de Cathy souleva un nouveau problème:

– Et que fait-on des fermiers? En ce moment, ils sont probablement sur les traces du lionceau, et ils sont parfaitement capables de tirer sur tout ce qui bouge…

Sa femme acquiesça. Leur décision était prise.

– Nous pensons que ton idée est trop dangereuse, dit doucement M. Hope à Simba. Nous ne pouvons pas laisser Cathy et James t'accompagner.

8

– Regardez ! cria M. Hope en désignant une traînée de poussière qui serpentait à l'ouest du lac.

Ils venaient de quitter le village massaï et se tenaient à côté de la jeep.

– Nous avons bien fait de ne pas vous laisser partir ! Larry Southall nous avait prévenus : les voilà sur le pied de guerre.

Cathy distingua les trois voitures. Peu importait maintenant que les fermiers atteignent le lac bien avant eux, car le chef du village était revenu sur sa décision : devant l'inquiétude des parents de Cathy, il avait interdit à Simba de partir à la recherche du lionceau. Cathy promena son regard brouillé par les larmes au-delà de la vallée, vers les montagnes Ruwenzori.

Les villageois étaient sortis pour observer les jeeps. Hommes et femmes parlaient à voix basse.

– Cathy, regarde ! s'exclama James en la tirant par la manche.

Les Massaï s'éloignaient. Les uns après les autres, ils descendaient la colline, adolescents en tête. Simba était parmi eux. Il avançait à grands pas.

Du sommet de la colline, Cathy et James virent les villageois se rassembler dans la plaine. Ils devaient être une cinquantaine, immobiles et silencieux.

– On dirait qu'ils attendent les fermiers. Que vont-ils faire ?

– Rien, répondit simplement Thomas.

Le cœur de Cathy se mit à battre plus fort. Là-bas, dans la vallée, les Massaï attendaient en silence. Certains étaient appuyés sur de longs bâtons. Tous se tenaient face aux voitures qui arrivaient.

Celles-ci s'arrêtèrent dans un crissement de pneus, à une centaine de mètres des villageois. Le nuage de poussière qui les enveloppait se dissipa peu à peu. Personne ne bougeait. Les fermiers regardaient les Massaï, qui les défiaient sans un geste.

Soudain, quelqu'un se détacha du groupe et se mit à escalader la colline en criant des mots en swahili.

James le reconnut :

– C'est Simba !

– Il demande que vous alliez parler aux fermiers, dit Thomas, qui ne semblait pas du tout surpris et qui dévala le premier la pente rocailleuse.

Les autres le suivirent.

– Ma tribu refuse d'adresser la parole à ces hommes, expliqua Simba à Cathy. Nous avons besoin de ton père pour leur parler. Ils l'écouteront.

– Espérons-le ! s'écria M. Hope.

Ils avaient rejoint les Massaï, qui restaient

muets, les yeux braqués sur les intrus.

– Que veux-tu que papa leur dise? demanda la jeune fille à Simba.

Larry Southall avait sauté à terre et venait à leur rencontre, son fusil sous le bras.

– Il faut qu'ils interrompent leur chasse. Qu'ils rangent leurs armes. Qu'ils laissent vivre le lion.

– Je vais essayer de les convaincre, promit M. Hope.

Les fermiers se regroupèrent autour de Larry Southall, qui interpella le père de Cathy:

– Tiens, monsieur Hope! Qu'est-ce que vous faites ici à cette heure matinale?

Il s'efforçait de paraître décontracté, mais n'y parvenait pas. Il regardait sans cesse en direction de la tribu des Massaï rassemblée derrière le père de Cathy.

– Que se passe-t-il? Ils ont trouvé le lion?

– Non. Et vous?

Adam Hope fixa le fermier droit dans les yeux.

– Pas encore. Mais ça ne saurait tarder,

répondit l'homme en tapotant le canon de son fusil.

— Et si nous avions une meilleure idée ? fit calmement M. Hope.

— Laquelle ?

— Vous suspendez votre chasse, et vous laissez Simba, le garçon qui est avec nous, chercher le lion.

— Et ensuite ?

— Il nous assure qu'il est capable de le conduire jusqu'au parc national, où le lionceau va rejoindre les siens.

Pour toute réponse, le fermier ricana.

— Il peut réussir ! s'exclama Cathy. Nous l'avons vu parler au lionceau. Et l'animal lui obéit !

— Vous ne pensez quand même pas que je vais vous croire ? persifla Southall.

— Vous n'êtes pas obligé ! Les villageois, eux, sont persuadés que c'est possible, dit M. Hope, se tournant légèrement vers le groupe des Massaï. Ils estiment que c'est de loin la meilleure solution. Seulement, nous voudrions nous assurer qu'il n'y aura aucun risque. C'est pourquoi nous vous demandons de suspendre votre traque pendant quelque temps.

– Et notre bétail ? Qui paiera nos pertes si le gamin ne réussit pas ?

– Moi.

Cathy leva les yeux vers son père.

– Vous ?

La proposition cloua Larry Southall sur place. M. Hope poursuivit :

– Si le lionceau attaque vos bêtes, ou celles des autres éleveurs, je m'engage à les rembourser. Qu'en pensez-vous ?

Le fermier le regardait, ébahi :

– Vous faites confiance à un gosse de quinze ans ?

Adam Hope n'hésita pas une seconde :

– Parfaitement !

– Et si je refuse ? Au cas où vous l'auriez oublié, j'ai un permis qui m'autorise à chasser ce lion.

Mais le père de Cathy tint bon :

– Ce n'est pas la meilleure solution, croyez-moi. Je suis vétérinaire. Je ne vais pas laisser tuer un magnifique animal comme celui-ci alors qu'il y a une autre solution ! Et je suis persuadé que ce garçon sait s'y prendre avec les félins. Je pense que vous devriez lui laisser une chance.

Larry Southall plissa les yeux et fit claquer sa langue.

– Si j'accepte, ça n'a rien à voir avec eux, dit-il en montrant les villageois drapés dans leurs étoffes. C'est parce que j'admets le point de vue d'un spécialiste, d'accord ?

– Bien sûr.

M. Hope s'avança rapidement pour lui serrer la main :

– Alors, vous arrêtez la chasse. Simba a besoin de trois jours.

– Un seul.

M. Hope accrocha le regard de Simba. L'adolescent secoua la tête.

– Deux, renchérit le père de Cathy.

Larry Southall lança ce chiffre comme sa meilleure offre.

– Nous n'aurons pas assez de temps, murmura Cathy d'une voix anxieuse.

– Trois jours, intervint tout à coup Simba.

– C'est bon, céda le fermier. Mais, après, la chasse est ouverte ! Si ce lion n'a pas rejoint le parc national samedi, nous nous en occuperons. C'est clair ?

Larry Southall était rouge de colère. Il rentra les épaules et se dirigea vers sa jeep, suivi des autres.

Cathy se jeta dans les bras de son père :

– Papa, tu as été super !

– Je n'ai rien fait. C'est grâce à Simba et à ses amis…, dit M. Hope.

Ils tournèrent leurs regards vers les Massaï. Mais, déjà, hommes, femmes et enfants s'éloignaient. Certains allaient garder les chèvres, d'autres puiser de l'eau, et les plus jeunes se rendaient à l'école.

– Où est Simba ? demanda soudain Cathy.

L'adolescent avait disparu.

– Il est allé se préparer pour partir, expliqua Thomas. Il vous donne rendez-vous au bord du lac dans une heure.

9

– Prenez ça avec vous, dit Mme Hope en tendant à James l'émetteur radio portable de Levina. Cela nous permettra de rester en contact.

Cathy se démenait pour attacher son duvet à son sac à dos. Elle était tellement pressée de partir qu'elle n'arrivait pas à serrer les boucles.

– Ne te fais pas de souci, maman. Il ne nous arrivera rien.

– Mais si, je vais me faire du souci ! rétorqua Mme Hope. Je suis assez furieuse que l'absence de Levina nous cantonne ici et nous empêche de vous accompagner ! Je veux que vous nous appeliez tous les jours à midi, et à six heures du soir. Et, pour cette nuit, je demanderai à Simba de vous conduire au camp du Zèbre, le second poste de recherches au bord du lac. Charles Tawana, le collègue de Levina, m'a assuré que vous pourriez dormir là-bas. J'ai tout arrangé avec lui.

M. Hope prit la parole :

– Et ne vous éloignez pas seuls. Et pas d'initiatives qui ne tiennent pas compte de ce que Simba vous dira de faire. C'est entendu ?

James et Cathy hochèrent la tête.

– Alors, allons-y ! lança M. Hope en montant dans la jeep.

Ils rejoignirent leur point de rencontre assez tôt pour voir Simba arriver de son pas tranquille. Il ne portait ni sac à dos ni duvet. Hormis son bâton, il avait les mains vides. Cathy et James allèrent à sa rencontre :

– *Jambo* !

Simba les salua avec son calme habituel.

Mme Hope s'adressa à lui :

– Prends bien soin d'eux !

Il le promit solennellement.

– Bonne chance !

Avec un dernier geste d'adieu, les parents de Cathy repartirent vers le camp.

Cathy balaya du regard les rives du lac à la recherche du lionceau :

– Est-ce que tu as vu Safi ?

– Ses empreintes. Ici, près de l'eau, répondit Simba.

Il marcha un peu, puis se baissa pour leur montrer des marques rondes imprimées dans la terre molle.

– Elles sont récentes ? demanda James.

Cathy et son ami s'accroupirent pour examiner les traces. Elles disparaissaient par endroits dans l'eau lisse et froide pour réapparaître quelques mètres plus loin. Ensuite, elles remontaient sur la berge, où elles se perdaient dans une multitude de traces de sabots. Le lionceau était venu boire, mais il était impossible de dire où il se trouvait en ce moment.

– Elles ont été laissées il y a une heure, peut-être deux. Juste après le lever du soleil.

Simba se redressa.

– Un troupeau de zèbres est venu aussi. Peut-être qu'il a essayé de les chasser.

Il sourit en regardant le fouillis des traces de sabots :

– Mais il n'a pas été assez rapide.

– Comment le sais-tu ? s'étonna Cathy.

– Pas de sang. Le lionceau doit s'attaquer à de petits animaux, pas aux zèbres.

Il se retourna et coupa à travers un amas de buissons et d'herbes hautes. Il montra du doigt une touffe de poils bruns accrochée à une branche :

– Il est venu par ici.

Ils découvrirent d'autres empreintes derrière les buissons ; puis ils remarquèrent un cercle d'herbes écrasées derrière un rocher.

– C'est là qu'il s'est reposé, dit Simba.

Cathy sentait déjà la morsure du soleil sur ses bras. Elle abaissa la visière de sa casquette pour au moins se protéger les yeux.

— Il doit avoir faim, chuchota-t-elle.

Safi pouvait être n'importe où, derrière ce buisson ou cet arbre. Il ne fallait pas l'effaroucher en parlant trop fort ou en trébuchant sur une pierre.

Simba se taisait. Soudain, il s'élança en direction d'une saillie rocheuse. Cathy et James le suivirent un peu en arrière. Ils arrivaient à peine au pied du rocher que Simba s'était déjà hissé à son sommet et regardait le lac à ses pieds.

— Trop tard, dit-il. Mais il est passé par ici.

— Comment peux-tu en être sûr? fit James, ébahi.

— C'est magique! dit Cathy. Il le sait, c'est tout!

Simba protesta :

— Ce n'est pas magique. Là, il y a du sang.

Il leur indiqua de petites taches rouges éparpillées sur le rocher.

— Qu'est-ce qu'il a tué?

— Un hyrax. Une petite bête qui ressemble à un rat. Sa chair a mauvais goût, répondit

Simba en grimaçant. Il a emporté sa proie, mais il ne la mangera pas.

— Où est-il, maintenant?

— Au bord de l'eau, par là.

Il fit un geste en direction du nord. James grimpa sur le rocher pour se rendre compte de la situation par lui-même.

— Tu le vois? lui demanda Cathy.

— Non. Mais il y a plein d'oiseaux qui s'envolent, près de la rive.

Cathy monta à temps pour voir une nuée de flamants roses décrire un large cercle, puis survoler l'étendue d'eau.

Tout à coup, Simba sauta à bas du rocher et courut vers le lac. James et Cathy le suivirent. Il s'arrêta au pied d'un arbre et prit son sac de cuir dans un repli de son pagne.

— L'hyrax est immangeable, répéta-t-il. Ça, c'est meilleur.

Il sortit quelques morceaux de viande et les tendit à Cathy.

— Tu veux que je lui donne à manger? balbutia-t-elle.

Simba hocha la tête:

– Il faut qu'il apprenne à te faire confiance.
Il déposa la viande dans sa main. La jeune
fille sentit son estomac se nouer, mais elle
s'exécuta. Simba avait raison.

– Où est-il? Je ne vois rien.

Elle était éblouie par les reflets qui
dansaient à la surface de l'eau.

– Marche jusqu'au lac. Mets la viande par
terre et attends. Le lionceau viendra.

Cathy prit une profonde inspiration. Elle
quitta Simba et James et avança lentement.
Elle savait que, si elle bougeait trop brus-
quement, elle effraierait le lionceau, et tout
serait à recommencer.

Lorsqu'elle parvint au bord du lac ourlé de
sel, elle posa la nourriture sur le sol. Ensuite,
elle recula précautionneusement de quelques
pas. Elle s'accroupit et attendit, les mains
posées sur les galets chauffés par le soleil.

Après de longues minutes, Safi apparut
derrière un buisson. Les flamants roses levèrent la tête et battirent des ailes. Alors, la
silhouette tachetée quitta son refuge d'ombre
et se glissa le long de la rive. Avec souplesse,

le lionceau s'approchait lentement de la viande, sans quitter Cathy des yeux.

La jeune fille fut frappée une fois de plus par sa beauté. Émerveillée, elle regardait son poil, doux et épais, ses yeux d'or soulignés d'un trait noir, sa tête et son échine fauves parsemées de rosettes.

Il se déplaçait sans bruit, les oreilles dressées, les moustaches frémissantes. Soudain, il bondit sur la viande, enfonçant profondément ses griffes et ses dents dans la chair. Cathy s'efforça de détourner son regard pour ne pas le déranger.

À cet instant, elle sentit Simba se couler derrière elle.

Safi leva la tête et gronda. Cathy se crispa. Peut-être que le garçon était arrivé trop tôt ? Mais l'adolescent gardait son calme :

– C'est sa manière à lui de nous saluer. Il dit : *Jambo* !

Simba avança vers le jeune lion, qui se mit à ronronner. Abandonnant les restes de nourriture, le félin marcha à sa rencontre. Simba le caressa, frotta son nez contre le museau de Safi. Ils échangeaient des paroles et des grognements de bienvenue !

Simba appela Cathy et James :

— Venez par ici ! Safi veut dire bonjour à ses nouveaux amis.

Ils firent quelques pas. À tout moment, Safi pouvait prendre peur. Mais Simba continuait à le caresser et à lui parler, et le lionceau reniflait le garçon en ronronnant.

Simba encouragea Cathy :

— Touche-le.

Elle tendit la main et toucha sa fourrure tiède. Safi tourna la tête pour la regarder.

— Il dit : *Karibu*, déclara Simba.

Cathy sourit et céda la place à James. Deux minutes plus tard, ils jouaient comme de vieux copains.

— Il se laisse apprivoiser ? demanda-t-elle à Simba.

— Non. Il est toujours libre et sauvage. Mais il nous fait confiance.

Alors, pour la première fois, Cathy vit un large sourire apparaître sur les lèvres de l'adolescent, transformant son visage entier.

Il était neuf heures du matin quand ils se mirent enfin en route pour le Nord, vers les monts de la Lune. Ils longeaient la rive du lac. Simba ouvrait la route, silencieux et calme. Safi trottait à proximité.

Cathy et James avaient du mal à suivre le rythme. Très vite, leurs jambes se raidirent, et ils furent à bout de souffle. Mais Cathy refusait d'admettre qu'elle était fatiguée.

– Nous sommes la nouvelle famille de Safi ! annonça-t-elle à James. On dirait qu'il nous a définitivement adoptés.

Son ami s'essuya le front :

— Il en avait probablement assez d'être seul. Sa vraie famille lui manque, alors il veut bien qu'on la remplace !

— Et puis il sait d'où lui viendra son prochain repas !

— Il y a plus que ça, objecta James, subjugué par l'entente qui existait entre Simba et le lionceau.

— Oui, il s'agit réellement de confiance.

Cathy déplaça les bretelles de son sac à dos, qui lui meurtrissaient les épaules, sans cesser d'observer Safi, en arrêt. Il convoitait deux gros canards bruns qui s'étaient aventurés près de la rive.

Elle se demanda si le lionceau comprenait le but de leur voyage.

— Crois-tu qu'il devine où on le conduit ?

— Et pourquoi on le fait ? ajouta James.

— J'aimerais bien savoir s'il a le sens de l'orientation ! S'il se rend compte où a été emmenée sa mère.

— Bien sûr ! répondit Simba. Vous l'avez vu lancer des appels vers l'autre rive...

Il examina la position du soleil, jeta un coup d'œil sur les visages cramoisis de James et Cathy, et décida qu'il était temps de s'arrêter.

Le jeune Massaï appela Safi en swahili. Il l'entraîna dans un endroit frais sous les arbres, et tout le monde s'assit.

— Il n'a pas faim ? demanda James en désignant le lionceau.

Assis sur les herbes sèches, jambes croisées, Simba rêvait, le regard perdu au loin.

— Non, dit-il.

— Et soif ? continua Cathy.

— Si, sûrement.

Elle prit sa gourde et versa de l'eau fraîche dans la paume de sa main. Elle tendit le bras pour l'offrir au lionceau. Safi renifla, puis se mit à laper.

Simba approuva sans détourner son regard des montagnes. Cathy, encouragée, caressa la tête du lionceau.

— Tu n'as pas peur ? lui demanda l'adolescent, étonné.

— De Safi ? Non. Bien sûr que non.

Il y avait pas mal de choses qui effrayaient

Cathy: les voitures rapides, l'altitude, les hommes avec des fusils. Mais certainement pas les animaux. Elle les aimait tous.

Simba restait silencieux, écoutant le bourdonnement des insectes, le bruissement des herbes hautes et le doux clapotis de l'eau sur la berge.

James se souvint de leur promesse : il fallait appeler Kampi ya Simba. Il mit en marche la radio, troublant leur tranquillité.

– Tout va bien, dit-il à M. Hope, qui était à l'écoute. Nous avons bien avancé. En trois heures, nous avons parcouru environ quinze kilomètres.

– C'était difficile ?

– Un peu. C'est la canicule. Nous nous sommes arrêtés pour nous reposer.

– Parfait. Comment va le lionceau ?

– En pleine forme. Simba l'a retrouvé tout de suite.

L'appareil se mit à crachoter.

– Merci de nous avoir donné de vos nouvelles, James, entendirent-ils encore. Rappelez-nous avant la nuit !

James éteignit la radio ; puis il plongea la main dans son sac et en ressortit une tablette de chocolat à moitié fondue.

– On ferait mieux de le manger avant qu'il ait complètement coulé ! lança-t-il.

Il déballa le chocolat et le coupa en morceaux. Simba fronça le nez.

– Tiens, prends-en, lui proposa James.

Méfiant, le jeune Massaï secoua la tête.

– Goûte, c'est délicieux !

James mit quelques carrés dans sa bouche ; Simba hésitait toujours.

– Allez, prends !

L'adolescent saisit prudemment le chocolat. Il le regarda fondre entre ses doigts, le sentit. Puis il le goûta, et James et Cathy virent son expression changer. James sourit :

– Ça te plaît ?

Simba hocha la tête.

Ils terminèrent la tablette tandis que Safi dormait à côté d'eux, la tête posée sur ses pattes. Ils attendaient que la chaleur tombe. Peu à peu, les animaux commencèrent à descendre vers le lac.

– Des hippopotames, annonça Simba.

Ils regardèrent attentivement la surface de l'eau.

– Je ne les vois pas, murmura James.

Cathy non plus ne remarquait rien de particulier. Ils plissèrent les yeux.

Les rochers lisses affleurant non loin de la berge se mirent à bouger. L'eau bouillonna, et un hippopotame apparut. Il ouvrit sa large gueule rose et bâilla.

D'autres animaux émergèrent pour s'ébrouer. Ils se bousculaient, faisant onduler leurs flancs enduits de boue.

– Ça alors ! souffla Cathy.

– Ne vous en approchez jamais, les avertit Simba.

– Je sais : ils peuvent être très dangereux, rétorqua fermement Cathy.

Elle en avait fait l'expérience l'année précédente lorsque, avec James et ses parents, ils avaient sauvé un bébé hippopotame embourbé[1]. Il avait fallu endormir la mère,

1. Voir *Comment sauver Harry ?*, n° 313.

toujours prête à attaquer. Que de souvenirs !

– Tout comme les buffles, et les éléphants. Même les singes risquent de vous attaquer !

– Et les lions ? le taquina Cathy.

– Oui, certainement, affirma Simba avec sérieux. Le lion est fort et rapide. C'est le plus dangereux de tous.

11

– Tiens, à quoi sert ce piquet?
Cathy retira la dernière tige en métal de son
sac de nylon. Monter une tente dans la semi-
obscurité était un exploit. Et Cathy manquait
d'expérience: les parois de sa tente s'affaissaient et claquaient dans la brise, et l'en-
semble penchait dangereusement.
James lui prit le piquet des mains; il l'enfonça dans le sol et passa une corde d'at-
tache autour.
– Il ne te reste plus qu'à tirer, comme ça, et
la tente se redresse! Tu as de la chance qu'il

ne pleuve pas ! ajouta-t-il. Dans l'état où elle est, tu ne serais pas à l'abri longtemps !

Ils avaient atteint le camp du Zèbre, après plusieurs heures de marche au milieu d'un paysage de plus en plus vert et ombragé. Charles Tawana leur avait réservé un accueil chaleureux. À six heures, Cathy avait échangé quelques phrases par radio avec sa mère et son père. Safi avait mangé et s'était allongé près de Simba. Ensuite, ils s'étaient tous installés autour du feu pour le repas.

— Je suis épuisée ! bâilla bientôt Cathy en se levant.

James déroula son sac de couchage.

— Et moi donc !

Cathy entrevoyait la silhouette de Simba, debout à une dizaine de mètres du feu. Elle se dirigea vers lui.

— Où vas-tu dormir ? lui demanda-t-elle.

— Là.

Il avait choisi un endroit distant des tentes, à l'abri des arbres.

– Avec Safi.

Cathy se sentit mal à l'aise : il n'avait ni tente, ni sac de couchage pour se protéger du brouillard glacé qui descendrait de la montagne. Elle lui tendit son duvet :

– Prends-le. Il te tiendra chaud.

Simba soupesa le duvet avec curiosité, palpa l'épaisseur ouatée, joua avec la longue fermeture Éclair. Il sourit en lui rendant le sac de couchage. D'un geste, il remonta l'étoffe pourpre autour de ses épaules, comme une couverture.

– Ça te suffira ?

Il sourit de nouveau sans répondre. Puis il résuma ce qui les attendait le jour suivant :

– Il faudra être sur place demain soir. Ensuite, nous aurons une journée pour retrouver la famille de Safi. Nous marcherons trois heures après le lever du soleil, peut-être quatre. Nous nous reposerons à l'endroit où les montagnes rencontrent l'eau.

La lune s'était levée, et Cathy pouvait voir le long chemin à parcourir pour atteindre les montagnes Ruwenzori.

– Tu n'es jamais fatigué, Simba? s'étonna-t-elle.

– Si, parfois.

Cathy se demandait si lui aussi avait mal aux jambes.

– Et tu arriveras à dormir, malgré le froid?

– Safi me tiendra chaud.

Elle chercha le lionceau des yeux. Il dressait la tête, attentif au moindre mouvement dans la brousse. Tout à coup, une idée la frappa:

– Il ne va pas s'en aller?

Elle savait que, pendant la nuit, les lions rôdent en quête de nourriture.

– Peut-être.

La jeune fille était abasourdie:

– Mais que se passera-t-il s'il se perd?

Simba haussa les épaules:

– Je le retrouverai.

– Et s'il se fait attaquer par un animal? Une hyène ou un chacal?

– Je serai là pour le protéger.

– Alors, tu ne dormiras pas?

C'était injuste. James et elle allaient-ils se

reposer alors que Simba monterait la garde toute la nuit ?

– Nous pouvons peut-être t'aider ? proposa-t-elle timidement.

Il finit par accepter des tours de veille : Simba surveillerait Safi deux heures pendant que James et Cathy dormiraient. Puis Cathy prendrait le relais, puis James, et ainsi de suite. Ainsi, tous trois seraient en forme le lendemain.

– S'il y a un problème, réveille-moi, insista Simba quand la jeune fille vint le relever à onze heures.

Le lionceau dormait profondément. Elle acquiesça. L'air frais de la nuit la fit frissonner.

– Écoute et observe. Est-ce que tu reconnaîtrais le cri d'une hyène ?

Cathy hocha la tête. Ses dents claquaient alors que son regard s'habituait aux ténèbres.

Satisfait, le jeune Massaï posa la main sur le lionceau :

– Safi est fatigué. Il a été bien nourri. Je ne crois pas qu'il aura envie de chasser cette nuit.

Puis il s'éloigna de quelques mètres. Il s'enveloppa dans l'étoffe pourpre et s'allongea sur le sol.

Cathy s'assit sous le ciel étoilé. Elle entendait autour d'elle le murmure des feuilles, le craquement des branches et, au loin, l'appel des chacals. Safi dormait en toute confiance, la tête posée entre ses grosses pattes rondes.

Le lendemain, ils furent prêts à partir avant le lever du jour. Charles Tawana leur offrit du thé chaud et des toasts. Il confirma que les derniers signaux radio qu'il avait reçus prouvaient que les lions du lac Kasanka s'acclimataient parfaitement à leur nouvel environnement.

Il les fit entrer dans son bureau. Une carte identique à celle de Levina était accrochée au mur.

– Le premier groupe, le blanc, a marqué son territoire ici. En tout, ils occupent à peu près vingt kilomètres carrés. Le groupe rouge s'est installé ici, dans une portion plus restreinte du parc. Le troisième, le bleu, a choisi la montagne, dans cette région-ci.

– À quelle altitude? s'informa James.

– Mille mètres.

– Wouah!

James saisit le coude de Simba:

– Comment savoir à quel groupe appartient Safi?

– Les lions sauront, eux, lâcha l'adolescent avec assurance.

Ils remercièrent leur hôte et partirent d'un bon pas, longeant le bord du lac. Comme toujours, Simba ouvrait la marche.

Cathy était heureuse. Il faisait frais, l'air était léger, et Safi les accompagnait docile-ment, sans essayer de se sauver vers les hautes herbes pour jouer ou chasser. Tout en suivant Simba et Safi, la jeune fille imagi-nait la scène de retrouvailles du petit avec sa mère.

Ils continuèrent d'avancer jusqu'à ce que

Simba remarque des buffles droit devant eux. Ils s'arrêtèrent.

James recula, peu rassuré. Les cornes des mâles lui semblaient immenses.

– Si on essayait de passer ? suggéra Cathy. Peut-être qu'ils nous ignoreraient.

Simba refusa :

– Ils nous attaqueraient. Ils ont leurs petits à défendre.

Cathy aperçut les buffletins collés à leur mère. Les grands mâles s'étaient groupés, prêts à charger. Elle s'agenouilla et prit Safi par le cou pour le retenir.

– Alors, on attend qu'ils se décident à partir ?

– Suivez-moi.

Simba les entraîna dans un long détour, loin du lac et du troupeau de buffles.

Cet imprévu les retarda. Il leur fallut plus d'une heure pour se frayer un chemin à travers les buissons épais et les arbres serrés.

Lorsqu'ils rejoignirent la piste, tout danger écarté, James consulta sa montre :

– Que diriez-vous d'une pause ?

Simba accepta du bout des lèvres.

Cathy s'affala sur le sol et s'empara de sa gourde. James en fit autant. Lorsqu'ils cessèrent de boire, ils constatèrent que Simba avait disparu.

12

– Safi, reste là ! ordonna Cathy.

Le lionceau s'était levé, prêt à bondir sur les traces de l'adolescent.

– Sois gentil ! Simba va revenir.

– Espérons-le ! lança James, mi-rieur, mi-inquiet.

Lorsque Simba réapparut, il rapportait de la viande fraîche. Il la laissa tomber sans un mot, et le lionceau s'en empara.

Dès que Safi eut terminé son repas, Simba les poussa à reprendre leur marche.

Cathy lui rappela :

– Mes parents attendent de nos nouvelles !
Le contact radio fut rapidement établi.

– Tout va très bien, dit Cathy à sa mère.
Nous avons bien avancé, et Safi vient de
manger.

– Alors, tout se déroule comme prévu ?

– À part un détour à cause de quelques
buffles susceptibles, oui ! Mais il faut que je
vous laisse. Simba nous attend. À ce soir !
Cathy rangea la radio à la hâte. Safi s'était
laissé gagner par l'impatience du jeune
Massaï. Ils piétinaient tous les deux au bord
du lac. Et quand ils s'engagèrent de nouveau
sur la piste, ils accélérèrent le rythme.

– On dirait que Simba veut rattraper le
temps perdu, constata James.

– Il a l'air inquiet…, murmura Cathy.

– Mais pourquoi ?

– Je n'en sais rien.
Ils se turent, se concentrant sur leur marche.
Ils pénétrèrent bientôt dans une zone maré-
cageuse. Leurs pieds s'enfonçaient dans la
terre détrempée. Soudain, Safi disparut dans
un bosquet de roseaux.

Simba stoppa net. Cathy cria :

– Où est Safi ? Je ne le vois plus !

Simba plissa les yeux, puis tendit le bras :

– Là.

Le lionceau essayait de se dégager du marécage et d'atteindre le lac, peu profond à cet
endroit. Il avala un peu d'eau et toussa.

Cathy eut peur qu'il ne se noie :

– Je vais le chercher !

Mais Simba se précipita vers elle et la retint
par le bras. Sans un mot, il désigna les
rochers sur lesquels elle s'apprêtait à
prendre son élan : ils se déplaçaient lentement ! Comme ils émergeaient en silence, la
boue fut aspirée tout autour d'eux.

– Encore des hippopotames ! s'exclama
James.

À l'autre bout du marécage, Safi prenait
pied sur la terre ferme. Mais il avait dérangé
les hippopotames, qui ouvrirent leurs larges
gueules.

Simba maintint sa prise et força Cathy à
reculer.

– Safi a peur ! protesta-t-elle.

Le lionceau, trempé, s'était mis à courir, accélérant à mesure qu'il s'éloignait des hippopotames.

– On va le perdre ! s'affola Cathy.

Safi avait disparu derrière un amas rocheux.

– Il reviendra, dès qu'il se sera remis de ses émotions, la rassura Simba.

Ils regardèrent les hippopotames s'enfoncer dans la boue et s'éloigner lourdement. Ils avaient déjà oublié les intrus et s'en allaient vers une eau plus claire.

Cathy regarda le rocher à la forme étrange qui dissimulait le lionceau :

– Si on allait le chercher en contournant le marécage ?

– Il pourrait revenir ici et ne pas nous trouver, objecta James. Je vais rester. Toi, pars avec Simba.

Déjà, l'adolescent s'engageait sur la piste. Cathy s'élança à sa suite, trébuchant sur le sol aride. Simba était trop rapide et trop agile pour elle ! Quand Cathy atteignit enfin l'amas rocheux, il l'avait déjà escaladé et cherchait Safi sur l'autre versant.

– Tu le vois?

À bout de souffle, elle se hissa à son tour. Pendant quelques secondes, le paysage flotta devant ses yeux. Puis son regard embrassa une vaste plaine découverte, une savane qui s'étendait à l'infini. Comment repérer un lionceau dans cette mer d'or pâle?

Simba lui fit remarquer un point sur l'horizon. Un nuage de poussière qui allait grossissant. La jeune fille distingua alors trois jeeps encore minuscules, qui se dirigeaient vers eux.

Simba les regardait s'approcher avec une moue de dégoût et de désapprobation.

– C'est Larry Southall? cria Cathy.

L'adolescent hocha la tête.

– J'ai entendu les voitures tout à l'heure, révéla-t-il, quand je chassais.

La voix de Cathy se réduisit à un murmure :

– Il avait promis! Il devait nous laisser trois jours!

Un coup de feu claqua dans l'air sec.

La panique s'empara des animaux du lac Kasanka. Un troupeau de gazelles se dispersa alors que l'écho du tir résonnait dans la plaine. Les flamants déployèrent leurs grandes ailes, frôlèrent la surface du lac et s'envolèrent.

Étendus sur le rocher, Simba et Cathy étaient impuissants. Soudain, la voix de James retentit en bas :

– Qu'est-ce qu'on attend ? Allons-y !

Il avait couru pour les rejoindre dès le premier coup de feu, bien décidé à affronter les chasseurs. Mais Simba sauta du rocher et lui bloqua le passage. À cette seconde, un nouveau coup de feu déchira l'air.

– Qu'est-ce que tu fais ? Il faut sauver Safi ! hurla Cathy.

– Les fusils ! lança Simba.

– C'est parce qu'ils ont des fusils qu'il faut les arrêter !

– On ne peut rien contre des fusils, rappelle-toi ce qu'ont dit tes parents ! Nous devons rester ici.

– Mais on doit faire quelque chose ! insista Cathy. Si on ne peut pas aller chercher Safi, alors appelle-le.

Simba remonta sur l'amas rocheux. Il se dressa au sommet et arrondit ses mains en porte-voix. Il appela, attendit, appela encore. Son cri resta sans réponse.

Des dizaines de petits animaux surgissaient hors de leurs cachettes, débusqués par les voitures qui avançaient en hurlant parmi les hautes herbes. Une bande d'oiseaux s'envola et se mit à tournoyer dans le ciel.

Soudain, les jeeps ralentirent et changèrent de cap.

– Ils nous ont vus ! cria James.

Cathy s'assit. Elle tremblait de la tête aux pieds.

– Si jamais ils ont tué Safi…, fit-elle, la gorge nouée.

Les voitures se dirigeaient droit sur eux. Ils distinguaient déjà les silhouettes des hommes, les fusils dressés.

Larry Southall arrivait en tête. Il fonça dans un troupeau d'impalas, qui se bousculèrent, terrifiés. Lorsqu'il parvint à portée de tir du rocher, il freina d'un coup sec. La portière de la jeep s'ouvrit violemment, et il débroula, furieux :

– Foutez le camp! cria-t-il en agitant les bras. Plus vite que ça, dégagez!

Cathy prit son courage à deux mains:

– Nous ne bougerons pas d'ici!

Aussi longtemps qu'ils parviendraient à retenir ces hommes armés, Safi serait hors de danger.

– Vous nous avez donné trois jours!

– Eh bien, j'ai eu tort! vociféra le fermier. Un de mes veaux a été tué!

– Quand ça? demanda Cathy avec suspicion.

– La nuit dernière. Votre lion s'est introduit dans le troupeau sous mon nez!

– C'est impossible! protesta James. La nuit dernière, le lionceau était avec nous, au camp du Zèbre.

– C'est vous qui le dites! Mon veau a été attaqué au cou: c'est la signature d'un lion!

– Mais ça ne peut pas être lui! répéta Cathy, hors d'elle. Nous l'avons surveillé toute la nuit!

– Ça suffit! Je n'ai pas de temps à perdre! Je vais donner l'ordre que la chasse reprenne. Si vous voulez rester, c'est votre affaire. Je vous aurai prévenus !

Sur ce, Larry Southall fit demi-tour et s'éloigna à grandes enjambées.

13

Comme la jeep contournait la colline, Cathy s'appuya contre le rocher, désespérée. Elle ne voyait pas d'issue.

– Retournons tous les deux au lac, lui proposa James. Peut-être que Safi nous cherche là-bas. Simba restera ici pour continuer de l'appeler.

Ils coururent jusqu'au marécage. Autour d'eux, il n'y avait aucun signe de vie. Tout était silencieux et immobile. Les hippopotames avaient disparu.

– Safi est sûrement trop effrayé par les

coups de feu pour revenir, dit James, déçu.

Mais Simba affirma :

– Il est malin. S'il est revenu, il se cache sûrement.

Ils restèrent là un moment, aux aguets. Puis Cathy se mit à appeler doucement le lionceau. Elle s'avança lentement vers les hautes herbes, guettant un grognement.

Quand elle le vit enfin qui sortait en boitillant des buissons, elle poussa un cri de soulagement. Épuisé et effrayé, Safi venait vers elle en gémissant.

– Il est blessé ! s'exclama James. Sa patte antérieure… Ce n'est pas une balle, j'espère ! ajouta-t-il, affolé.

Cathy s'agenouilla et tendit la main. Safi vint vers elle et se laissa tomber sur le sol. Elle le caressa. Ses flancs battaient, son souffle était rauque.

– Je ne pense pas. Il n'y a aucune trace de sang, déclara-t-elle.

Elle ne voulait pas faire mal à Safi en touchant sa patte blessée. Il ne fallait pas le brusquer. Elle attendit qu'il se calme.

– Je vais te donner la trousse de secours, lui dit James en ouvrant rapidement son sac à dos. Il en retira une boîte en plastique.

Le petit lion clignait des yeux, allongé de tout son long, sa patte blessée tendue vers l'avant.

– Montre-moi ça ! murmura Cathy.

Elle plia la patte le plus doucement possible. Safi grogna et balança la tête.

– Tout va bien, murmura Cathy. Je vais essayer de ne pas te faire mal.

Elle se pencha et inspecta les coussinets :

– Il a quelque chose entre les orteils.

Une longue épine était plantée dans la partie la plus tendre de la patte.

– J'ai besoin de pinces pour l'extirper.

James fouilla la boîte :

– Pas de pinces. Est-ce que ça peut aller ?

Il lui tendit une petite paire de ciseaux.

– Je vais voir. Safi, ne bouge pas, s'il te plaît.

Elle continua de parler au lionceau pendant qu'elle s'activait :

– Tu le sentiras un peu. Mais, après, tu seras mieux.

Le lionceau la regardait en écoutant attentivement. L'opération se poursuivit. Il ne gronda que lorsque la pointe des ciseaux rencontra l'épine.

– Je l'ai ! s'écria Cathy, ravie.

Safi grogna de nouveau, mais ne bougea pas.

– C'est bien. Tu es très patient !

La jeune fille prit soin de ne pas casser l'épine. Elle tira tout doucement et réussit à l'extraire : elle mesurait bien trois centimètres de long !

– Maintenant, un peu de crème antiseptique. Cathy caressa le cou de Safi. Il gronda faiblement quand elle étala la crème sur la patte blessée. James admira le travail :

– Magnifique ! Tu feras une bonne vétérinaire, Cathy.

– Je l'espère ! Et, maintenant, il faut avertir Simba que nous avons retrouvé Safi. On doit partir d'ici le plus vite possible.

Tout l'après-midi, Cathy, James et Simba entendirent le rugissement des jeeps qui sillonnaient le cratère. Ils marchaient d'un pas régulier vers la montagne, suivis de Safi, qui boitait légèrement. Ils suivaient les rives du lac en se cachant dans un enchevêtrement d'arbres et de buissons.

Au cour d'une halte, Cathy tenta de joindre ses parents par radio pour les mettre au courant de la chasse, mais elle n'obtint pas de réponse.

— Essaie le camp du Zèbre, suggéra James. Charles Tawana nous aidera sûrement !

La jeune fille s'exécuta ; sans résultat.

— Rien ?

James se pencha sur l'émetteur radio, qui grésillait.

— Peut-être qu'aujourd'hui ils travaillent tous dans le cratère, dit-elle.

Il était trois heures. Une chaleur torride s'abattait sur la terre, qui se craquelait au soleil. Cathy rangea rapidement la radio, s'apprêtant à repartir.

Simba, perché au sommet d'un arbre, lui fit signe d'attendre.

— Ils viennent par ici ! souffla-t-il.

Cathy caressa Safi pour le calmer, alors que le bruit des moteurs s'amplifiait. Elle passa un bras autour de son encolure, entendant un grondement sourd qui avait jailli de sa poitrine.

Les jeeps se rapprochaient. Caché dans l'arbre, Simba se ramassa, semblable à un lion prêt à bondir.

Les fermiers étaient parvenus au bord du lac. Ils circulaient entre les buissons, décrivant des cercles de plus en plus étroits. Leurs pneus crissaient sur le sol dans un épais nuage de poussière. Ils s'arrêtèrent et descendirent de voiture pour battre les roseaux.

Sentant la présence des hommes, Safi s'était redressé. Il gronda de nouveau.

Le temps était suspendu. Cathy se recroquevilla derrière l'arbre géant, tenant fermement Safi. Elle frémit à l'idée qu'il puisse attirer l'attention des fermiers.

À quelques mètres d'eux, un impala surgit au milieu des broussailles. Il s'avança pour brouter l'herbe grasse.

– Oh non ! murmura James. Si Safi le voit, nous sommes perdus !

Mais les fermiers furent les premiers à apercevoir l'animal. Cathy entendit la voix de Larry Southall qui avertissait les autres de la présence du gibier. Un ordre bref fut donné, et les hommes se replièrent. Le bruit des moteurs remis en marche fit fuir l'impala. Bientôt, le nuage de poussière rouge soulevé par les voitures retomba.

Simba se laissa glisser au bas de l'arbre, le visage tendu.

– Que se passe-t-il ? Pourquoi ont-ils décidé de partir ? demanda James.

– L'impala nous a aidés. Les hommes l'ont vu, et ils se sont dit qu'il n'y avait pas de lion dans les parages.

Cathy caressa le lionceau :

– Bravo ! Tu ne nous as pas trahis.

Safi ronronna et roula sur le flanc.

– C'est encore loin ? demanda James.

Son sac à dos sur les épaules, il essayait d'évaluer la distance qui les séparait des montagnes. Simba suivit son regard :

– Deux heures, peut-être moins.

– Alors, nous pouvons y être avant la nuit.

La marche fut pénible. Ils pataugèrent dans les marécages, se frayant un chemin parmi les roseaux, escaladèrent des rochers escarpés, s'égratignèrent aux buissons épineux en traversant de larges étendues de sable où ils risquaient de se faire repérer... Cathy avançait en serrant les dents. Elle avait mal partout.

Enfin, les montagnes Ruwenzori surgirent devant eux. L'ombre régnait déjà dans le fond des vallées alors que les sommets étaient toujours illuminés par le soleil.

Ils entamèrent la pente douce qui menait vers les montagnes. Au loin, minuscules, les jeeps continuaient à sillonner la plaine à la recherche du lionceau.

Simba s'arrêta pour attendre Cathy et James.

– Nous sommes dans le parc? demanda la jeune fille.

– Presque. C'est là-bas, derrière les épineux, expliqua l'adolescent en montrant une rangée d'arbres qui bordaient une haute corniche, à l'ombre des montagnes. Là, Safi sera en sécurité.

Cathy sourit et encouragea le lionceau, qui trottait à son côté, la tête haute, comme s'il savait que la fin du voyage approchait.

Simba les précédait, les yeux braqués sur la montagne. Il resta vigilant jusqu'à ce qu'ils aient atteint la rangée d'arbres.

– Voilà. C'est ici que tu vas vivre! dit James au jeune lion d'un ton solennel.

Les deux amis s'assirent pour souffler un peu en observant le paysage. C'était un endroit idéal pour les lions. Une vaste prairie parsemée d'arbres et de rochers qui s'étendait jusqu'aux montagnes offrait d'excellentes cachettes aux félins.

Autour d'un arbre, Cathy aperçut une famille de girafes qui tendaient le cou pour arracher les feuilles.

– Le parc abrite une faune abondante, leur expliqua Simba : rhinocéros, impalas, gazelles…

– Et des éléphants ?

Simba hocha la tête :

– Beaucoup, à l'extrême Nord. Ils suivent les pluies. Nous n'en verrons pas ici.

– Ce n'est pas grave ! s'exclama Cathy. Nous devons retrouver la famille de Safi.

– J'ai vu des empreintes, dit Simba.

Cathy bondit sur ses pieds :

– Où ça ?

– Par là…

Le jeune Massaï vérifia la direction du vent, évalua la longueur des ombres. Ensuite, il décida de la route à prendre.

Ils se faufilèrent derrière lui à travers les épineux, vers un rocher en surplomb, encore ensoleillé. Là, ils découvrirent un premier groupe de lions.

Trois lionnes se reposaient, étendues dans la lumière orangée. La plus proche s'était couchée sur le flanc et nourrissait deux lionceaux, plus jeunes que Safi. Ils tétaient avec appétit, blottis contre leur mère. La deuxième femelle était assise et toilettait un lionceau plus âgé, qui s'amusait à la mordiller. La troisième veillait, solitaire, sa tête majestueuse relevée, le regard plongeant dans la vallée.

Le cœur de Cathy battait à tout rompre. Ils s'étaient accroupis derrière un rocher pour épier. Safi était en alerte, ses oreilles dressées, ses yeux étincelant dans l'ombre.

Cathy fit un geste en direction de la femelle qui se tenait à l'écart :

— Est-ce que c'est sa mère ?

— Chut !

Simba attendit un moment pour s'assurer que la lionne ne les avait pas repérés.

— Voilà le mâle !

L'animal longea la corniche, très digne. Sa

queue balayait le sol derrière lui ; sa longue crinière ondulait au rythme de ses pas.

James et Cathy le contemplaient, envoûtés, alors que Simba retenait Safi.

Le lion s'arrêta, puis disparut derrière une barrière de rochers. Quand il réapparut, il contourna la femelle solitaire, les yeux braqués dans leur direction.

C'était une bête magnifique. Sa tête, immense, s'ornait d'une crinière noire et très fournie.

Lorsqu'il se mit à rugir, tout le corps de Cathy fut secoué par le bruit assourdissant. Mais elle venait de comprendre que ce lion n'était pas le père de Safi. Simba, en effet, leur avait dit que celui-ci avait une crinière jaune...

Le mâle allait et venait à l'extrémité du rocher en surplomb. Les avait-il vus ?

Le rugissement du lion déchira l'air pour la seconde fois, roulant vers la vallée et rebondissant contre la paroi des montagnes.

Le silence qui suivit était terrifiant. Cathy hasarda un œil : le rocher était désert.

Simba leur fit signe de se taire encore un peu.

– Où sont-ils allés ? demanda James au bout d'un moment.

– Ils sont descendus boire au lac, répondit l'adolescent.

Il leur expliqua que le rugissement du lion était un avertissement :

– Il nous signalait que c'était son nouveau territoire.

– Alors, il savait que nous étions là ?

Simba inclina la tête :

– Il ne nous a pas vus, mais il nous a sentis et entendus.

– Est-ce qu'il nous aurait attaqués ? demanda Cathy, qui tremblait encore.

– Non. Il sait que nous sommes ses amis.

Simba se leva :

– En route. Nous allons marcher un peu. Bientôt, il fera noir.

Cathy attrapa son sac. À leurs pieds, le lac renvoyait des reflets argentés. Au-dessus d'eux, les montagnes jetaient des ombres mauves.

– Dans quelle direction ? demanda-t-elle.

– Levina et Charles nous ont indiqué trois

groupes sur la carte, dit James. Le groupe blanc, que nous avons vu, compte quatre lions adultes. Le groupe rouge est plus à l'Est. Il ne compte que trois adultes. Le groupe bleu s'est réfugié plus haut dans les montagnes. C'est le plus nombreux, avec beaucoup de lionceaux, ce qui expliquerait comment les gardes ont pu en oublier un.

Cathy suivait son raisonnement :

– Pas de chance ! Ça veut dire que nous devons monter !

Simba se dirigeait déjà vers le flanc de la montagne.

Ils partirent dans le crépuscule. Pendant quelques minutes, le soleil, boule de feu rougeoyante, enflamma l'horizon.

Cathy jeta un coup d'œil à Safi. Depuis qu'elle avait retiré l'épine de sa patte, le lionceau restait près d'elle. Il l'avait adoptée. Mais cette nuit ou demain, il retrouverait sa vraie famille et la quitterait.

Cathy soupira, puis leva la tête. Le soleil s'effaça derrière les montagnes. Le jour faisait place à la nuit.

15

Cathy se réveillait sans arrêt. Dans ces hauteurs montagneuses, il n'y avait pas de terrain plat pour planter les tentes. Blottie dans son sac de couchage, les yeux levés vers les étoiles, elle écoutait les bruits de la brousse : le vent qui venait des sommets, les couinements et la course des animaux à la recherche de nourriture... Le clapotis rassurant des vagues sur la berge du lac lui manquait. Ici, dans les monts de la Lune, tout semblait étrange et sauvage.

Cette fois encore, ils avaient décidé de se

relayer pour surveiller Safi. James s'était porté volontaire pour veiller le premier pendant que les autres se reposeraient.

Ne parvenant pas à se rendormir, Cathy se glissa hors de son duvet pour le rejoindre. James regardait le ciel criblé d'étoiles.

– Tu n'arrives pas à dormir? demanda-t-il à son amie.

– Non. Je ne peux pas m'empêcher de penser au moment où il faudra quitter Safi.

Cathy se leva pour approcher son sac de couchage.

– Et si je prenais mon tour de garde? proposa-t-elle. Tu es fatigué. Ça ne sert à rien que nous veillions tous les deux!

James accepta avec reconnaissance. Restée seule, Cathy regardait le lionceau, qui dormait, confiant, la tête entre les pattes, la queue repliée pour se réchauffer.

Quand Simba vint la remplacer, au milieu de la nuit, elle refusa. Les dernières heures en compagnie de Safi étaient trop précieuses.

Simba inclina la tête et la laissa sans un mot.

Cathy était attentive au moindre son: une brindille qui se brisait sous la patte d'un animal, de lointains combats, un gnou qui s'ébrouait, le cri perçant lancé par un oiseau surpris... Pourtant, lorsqu'une lumière diffuse apparut à l'est, sa tête commença à dodeliner. Les bruits lui parvenaient de plus en plus étouffés. Elle s'allongea à côté de Safi. La brousse devint silencieuse... Cathy dormait enfin.

Quand elle ouvrit les yeux, James était penché au-dessus d'elle et la secouait. Elle sursauta :

– Safi !

Sa première pensée avait été pour le lionceau. Était-il en sécurité ?

– Pas de panique ! Il dort encore.

Cathy se frotta le visage. Le lionceau était toujours pelotonné près d'elle.

Les montagnes étaient couvertes d'un brouillard épais et blanchâtre qui enveloppait les arbres et les rochers. Le paysage avait pris un aspect fantomatique.

Cathy frissonna :

– C'est sinistre !

Puis elle se ressaisit :

– Où est Simba? demanda-t-elle.

– C'est pour ça que je t'ai réveillée, chuchota James, mal à l'aise. Je n'en sais rien. Il t'a dit quelque chose?

– Non.

Cathy regarda autour d'elle :

– James, tu n'as pas l'impression…

– … qu'on nous observe?

– Oui. Comme s'il y avait des yeux partout !

– Peut-être que ce sont des hyènes?

Tout au long de leur expédition, ils avaient vu ces bêtes silencieuses rôder dans les buissons ou galoper à travers la plaine.

– J'aimerais mieux que Simba soit là !

James essaya de se reprendre :

– Il est probablement aller chasser pour Safi. Il va revenir.

Cathy, sur ses gardes, repoussa lentement son sac de couchage :

– Tu as entendu?

C'était le halètement d'un animal, tout près d'eux. James se rapprocha de son amie :

– On dirait qu'il y en a plein !

Les bruits se multipliaient. De vagues ombres se profilaient à présent dans la brume.

Ayant perçu le danger, le lionceau s'était réveillé. Tous ses sens étaient en alerte. Cathy tenta de le calmer.

Les animaux devenaient plus audacieux. Ils étaient si près qu'on apercevait leurs têtes énormes, leur poil jaunâtre et roux, leurs dos qui s'affaissaient...

– Pas de doute ! Ce sont des hyènes ! murmura James. Qu'est-ce qu'on fait ?

– On ne bouge pas ! Les hyènes ne s'attaquent pas aux hommes.

Les animaux formaient maintenant une meute compacte, qui les frôlait presque en grognant. L'un d'eux lança sa tête en arrière et poussa un hurlement strident.

Safi se dressa en donnant des coups de patte dans le brouillard, prêt à combattre.

D'autres hyènes se mirent à hurler. Cathy et James ramassèrent des bouts de bois et des pierres, tout ce qui pourrait servir pour éloigner les assaillants.

Soudain, les hurlements cessèrent. L'une

des hyènes émit un son différent : un cri de colère. Du flanc de la montagne, un grondement sourd roula jusqu'à eux. Les bêtes s'enfuirent, rapides comme l'éclair.

Safi se coucha et gémit. James, le visage blême, scrutait l'épaisseur blanchâtre, tentant d'apercevoir l'animal qui les avait effrayées.

– On dirait un lion…, murmura-t-il.

Cathy avait la chair de poule. « Je préférais encore les hyènes », pensa-t-elle.

Safi recula, prêt à prendre la fuite. Il grogna.

Le brouillard mouvant s'effilochait. Lorsque le soleil parut derrière la crête des montagnes, la brume commença à se lever.

Le lion se dressait à côté d'un rocher gigantesque. Il baissa la tête vers eux. Ses yeux brillaient d'un éclat doré. Soudain, il se mit à descendre vers eux. Sa crinière, d'un jaune tirant sur le marron, ondulait fièrement.

Safi se figea. Puis ses oreilles s'agitèrent et tout son corps se mit à trembler.

Une lionne au pelage fauve surgit de derrière le rocher. Plus fine que le mâle, elle dévala la pente à sa suite, se dirigeant vers le lionceau. Dans sa course, elle ne cessait de gronder, comme si elle appelait Safi.

Cathy lâcha le bâton qu'elle serrait toujours dans sa main :

– C'est sa mère ! J'en suis sûre !

Safi hésitait. Il regarda Cathy et gémit.

– Il y a deux autres lionceaux ! s'exclama James.

Les jeunes lions descendaient la pente derrière leur mère en trébuchant.

Maintenant, Safi tournait sur lui-même en gémissant. Le mâle s'était arrêté à distance, mais la mère et ses lionceaux avançaient toujours.

Finalement, Safi prit son élan et bondit à leur rencontre.

La lionne baissa la tête et laissa Safi se frotter contre son cou. Il tomba sur le sol, roula sur l'herbe, puis sauta sur elle de nouveau. Les deux autres lionceaux accoururent. Bientôt, les trois petits ne formèrent plus qu'une seule boule de poils qui culbutait et dévalait la pente.

Cathy sourit en voyant Safi s'en détacher et courir vers elle. Il grimpa sur ses genoux, invitant son frère et sa sœur à s'approcher, comme s'il voulait leurs présenter ses amis. La jeune fille les caressa, émue, pendant que la lionne les observait calmement; puis elle se leva et alla rejoindre James.

Tout à coup, une tache de couleur attira son attention. C'était Simba, debout contre le flanc du grand mâle.

Le lion tourna la tête comme pour saluer le jeune Massaï, qui lui parla à voix basse. Ils attendaient que la lionne rassemble ses trois lionceaux et les ramène. Quand tout ce petit monde fut réuni, Simba descendit sans un mot.

James s'élança vers lui :

– Tu étais parti à la recherche de la famille de Safi, c'est ça?

L'adolescent ne répondit pas. Il regardait, amusé, Cathy qui essayait de fourrer son duvet dans son sac à dos. L'heure du rendez-vous avec les parents de la jeune fille approchait : ils devaient les attendre au bord du lac.

– C'est pour ça que tu nous as laissés seuls avec Safi! lança Cathy. Tu aurais pu nous prévenir!

– Vous dormiez, répondit tranquillement Simba.

– Ça ne fait rien! lança Cathy. Tout ce qui compte, c'est de savoir que Safi est en sécurité avec les siens.

Elle éprouvait à la fois de la tristesse et une immense joie. Mais, surtout, elle était fière de ce qu'ils avaient accompli.

Le jeune Massaï l'approuva. Il comprenait ce qu'elle ressentait.

Quand ils prirent le chemin du retour, le soleil avait complètement dissipé le brouillard qui nappait la vallée. Des troupeaux de gazelles et d'impalas sillonnaient les berges du lac. Cathy leva la tête vers les montagnes; une pâle lune transparente se fondait dans le ciel matinal.

– Au revoir, Safi, murmura-t-elle.

FIN

EXTRAIT

Chère Lucy Daniels,

J'adore vos livres. Je les trouve passionnants et très bien écrits. C'est bien de s'intéresser aux animaux.

Moi aussi, j'aimerais écrire plus tard des histoires sur les chiens, les chats...

Pouvez-vous me donner des conseils ?

Flo, 12 ans.

RÉPONSE

Si tu veux devenir écrivain, il faut que tu lises le plus possible. Et essaie chaque jour d'écrire quelques lignes sur un cahier ou dans ton journal intime. Si tu es passionnée par les animaux, l'inspiration viendra toute seule.
Bon courage !

TOI AUSSI,
tu AIMES LES ANIMAUX ?

Si tu as envie

de nous confier les joies et les soucis
que tu as avec ton animal,

si tu veux

nous poser des questions
sur l'auteur et ses romans,
ou tout simplement nous parler
de tes animaux préférés,

**n'hésite pas à nous écrire !
Ta lettre sera peut-être publiée !**

Bayard Éditions Jeunesse
Série " SOS Animaux "
3, rue bayard
75008 Paris

Attention !
N'oublie pas d'écrire ton nom et
ton adresse si tu veux qu'on te réponde !

S.O.S. ANIMAUX

Imprimé en R.F.A. par Clausen & Bosse